Manual de sobrevivência filosófico

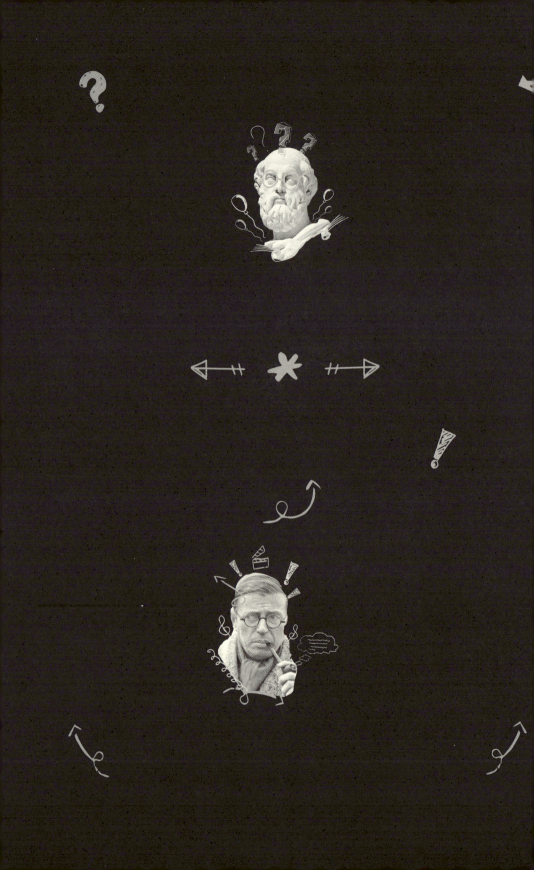

Organização
MARCOS TORRIGO
E CLAUDIO BLANC

Manual de sobrevivência filosófico

Do amor ao desejo, da angústia à felicidade,
da moral à justiça, os textos clássicos mais
discutidos da Filosofia com lições para você
se virar no mundo louco de hoje

Copyright © by Jardim dos Livros
1ª edição – Março de 2020

Grafia atualizada segundo o Acordo Ortográfico da Língua Portuguesa de 1990, que entrou em vigor no Brasil em 2009.

Editor e Publisher
Luiz Fernando Emediato

Editor Sênior
Marcos Torrigo

Diretora Editorial
Fernanda Emediato

Organização
Marcos Torrigo e Claudio Blanc

Tradução
Claudio Blanc

Estagiário
Luis Gustavo Barboza

Capa, Projeto Gráfico e Diagramação
Alan Maia

Preparação
Josias A. de Andrade

Revisão
Hugo Almeida

Dados Internacionais de Catalogação na Publicação (CIP) de acordo com ISBD

M294 Manual de sobrevivência filosófico: Do amor ao desejo, da angústia à felicidade, da moral à justiça, os textos clássicos mais discutidos da Filosofia com lições para você se virar no mundo louco de hoje / organizado por Marcos Torrigo e Claudio Blanc ; traduzido por Claudio Blanc. - São Paulo : jardim dos livros, 2020.
320 p. ; 15,6cm x 23cm.

ISBN: 978-85-8484-030-4

1. Autoajuda. 2. Filosofia. 3. Textos filosóficos. I. Blanc, Cláudio. II. Torrigo, Marcos. III. Título

2020-922

CDD 158.1
CDU 159.947

Elaborado por Odilio Hilario Moreira Junior - CRB-8/9949

Índices para catálogo sistemático
1. Autoajuda 158.1
2. Autoajuda 159.947

EMEDIATO EDITORES LTDA

Rua João Pereira, 81 – Lapa
CEP: 05074-070 – São Paulo – SP
Telefone: +55 11 3256-4444
E-mail: geracaoeditorial@geracaoeditorial.com.br
www.geracaoeditorial.com.br

Impresso no Brasil
Printed in Brazil

Sumário

APRESENTAÇÃO 9
AMOR **13**
PLATÃO 16
Trechos de O Banquete 16
ROUSSEAU 21
Trechos de Emílio 22

ANGÚSTIA **33**
KIERKEGAARD 36
Trechos de O Conceito de Angústia 37
JEAN-PAUL SARTRE 40
Trechos de A Náusea 41
Trechos de O Ser e o Nada 42
E um trechinho de A Idade da Razão 45

BELEZA **47**
HEGEL 50
Trechos de Introdução às Lições de Estética 50
PLATÃO 54
Trechos de O Banquete 54
KANT 55
Trechos de Crítica da Faculdade de Julgar 56
SCHILLER 60
Teoria da Tragédia 61
Trechos das Cartas 62

DESEJO **67**
EPICURO DE SAMOS 70
Trecho da Carta a Meneceu 71
NIETZSCHE 71
Trecho de Considerações Extemporâneas 72
LUCRÉCIO 74
Trechos de Da natureza das coisas 74
ESPINOSA 76
Trechos de Ética 77
SCHOPENHAUER 83
Trechos de O Mundo Como Vontade e Como Representação ... 84

5

Manual de Sobrevivência Filosófico

Epiteto 88
Trechos do Enquirídion (O Manual) 89
Kierkegaard 91
Trecho de Diário de um Sedutor 91

EXISTÊNCIA 93
Kierkegaard 96
Trecho de O Desespero Humano (Doença Até a Morte) 96
Descartes 98
Trechos de Meditações Metafísicas 99
Pascal 102
Trechos de Pensamentos 103
Kant 104
Um trechinho da Crítica da Razão Pura 104

FELICIDADE 107
John Stuart Mill 110
Trechos de O Utilitarismo 110
Rousseau 114
Trecho do Discurso Sobre a Origem da Desigualdade 114
Platão 115
Trechos de A República 115
Schopenhauer 116
Trecho de O Mundo Como Vontade e Como Representação 116
Agostinho 117
Trechos de As Confissões *(caps. X e XI)* 118
Epicuro 123
Trechos de Carta a Meneceu 123

JUSTIÇA 129
Hume 132
Trechos de Investigação Sobre os Princípios da Moral 133
Platão 135
Trecho de A República 135
Rousseau 144
Trechos de Discurso Sobre a Origem *e os*
Fundamentos da Desigualdade Entre os Homens 144

LIBERDADE 151
Kant 154
Um trechinho de Crítica da Faculdade de Julgar 154

Sumário

TOCQUEVILLE 154
Trechos de O Antigo Regime e a Revolução 155
E Da Democracia na América 155
LA BOÉTIE 158
Trechos de Discurso Sobre a Servidão Voluntária 158

LOUCURA 165
ERASMO 168
Trecho de Elogio da Loucura 169
SCHOPENHAUER 174
Trechos de O Mundo Como Vontade e Como Representação 174

MORAL 179
NIETZSCHE 182
Trechos de Além do Bem e do Mal 182
ESPINOSA 185
Trechos de Ética 185
SCHOPENHAUER 188
Trecho do Livro 4 de o Mundo Como Vontade e Representação 188

MORTE 191
EPICURO 194
Carta a Meneceu 194
SCHOPENHAUER 195
Trechos de A Metafísica da Morte 195
PLATÃO 199
Trecho de A República: A História de Er 199

POLÍTICA 207
LOCKE 210
Trechos do Segundo Tratado Sobre o Governo Civil 210
LA BOÉTIE 217
Discurso Sobre a Servidão Voluntária 217
ROUSSEAU 218
Trechos de Do Contrato Social 218
ROUSSEAU 225
Trecho do Discurso Sobre a Desigualdade 225
MAQUIAVEL 227
Trechos de O Príncipe 227
MAQUIAVEL 235
Trechos de Discursos Sobre A Primeira Década de Tito Lívio 235

Manual de Sobrevivência Filosófico

PRAZER 241
EPICURO 244
Trechos da Carta a Meneceu 244
EPITETO 246
Trechos do Manual 246

RELIGIÃO 249
DURKHEIM 252
Trechos de As Formas Elementares da Vida Religiosa 253
ESPINOSA 257
Trechos de Tratado Teológico-Político 257
ESPINOSA 259
Breve Tratado de Deus, do Homem e do Seu Bem-Estar 259
AGOSTINHO 262
Trechos de A Cidade de Deus 262
NIETZSCHE 270
Trechos de O Anticristo 270

SABEDORIA PRÁTICA 277
EPICURO 280
Trecho da Carta a Meneceu 280
SÊNECA 280
Trechos de Cartas a Lucílio 281
EPITETO 288
Trechos do Manual 288
MARCO AURÉLIO 292
Trechos de Meditações 292
EPICURO 296
Trechos de Textos Diversos 296

TEMPO 303
EPICURO 306
Carta a Meneceu 306
AGOSTINHO 307
Trechos de Confissões, livro 11 "O Homem e o Tempo" 307
BERGSON 311
Trechos de Ensaios Sobre os Dados Imediatos da Consciência... 312
CRONOLOGIA DOS FILÓSOFOS 316
E-REFERÊNCIAS 316
REFERÊNCIAS BIBLIOGRÁFICAS 318

Apresentação

Os filósofos sempre foram uma gente meio diferente, vistos até como um pouco pirados ou como alguém que vive num outro mundo. Bom, nisso a culpa é deles mesmos. Sócrates literalmente travava quando "baixava" um transe filosófico. Não se mexia, não ouvia o que lhe diziam, nem sabia o que estava rolando ao seu redor. Se colocassem a mão na frente dos seus olhos, ele não via coisa alguma. Então, de repente, do nada, o cara voltava com alguma observação brilhante sobre algo que poucos compreendiam. Diógenes de Sinope morava num tonel de vinho, e Crates transava com sua mulher, a também filósofa Hipárquia, em público. Kant era tão metódico, que os habitantes da cidade onde ele vivia acertavam seus relógios pelo passeio do filósofo, que todos os dias passava pela porta da igreja exatamente à mesma hora. Pois é, não é pra menos que o povo os considerava esquisitos.

Pra piorar, os caras se achavam. Platão, por exemplo, escreveu na sua célebre obra *A*

Manual de Sobrevivência Filosófico

República que os governantes deveriam ser filósofos por serem superiores às pessoas comuns. Eram os únicos que tinham meios, por causa do estudo, de se aproximar da verdade ou até mesmo de determiná-la. Mesmo assim estavam, como todos nós, sujeitos à realidade. Quando Platão foi convidado pelo tirano de Sicília para bolar um plano de governo, teve oportunidade de pôr à prova suas ideias desenvolvidas no livro *A República*... e se deu mal. O cara acabou se desentendendo com o tirano e foi preso e vendido como escravo. Não fosse um amigo, seu tio, que o comprou e o libertou, ele teria tido um fim sinistro. Uma vez mais, o inferno foi o outro.

Uma história sobre Tales de Mileto mostra bem o paradoxo do filósofo. Tales é considerado o primeiro filósofo e até mesmo determinou a data do início da filosofia — dia 28 de maio de 585 a.C. —, quando previu um eclipse. Reza a tal história que, certa noite, Tales estava caminhando ao mesmo tempo em que observava as estrelas e — óbvio — acabou caindo numa vala. Uma escrava que estava passando viu a cena e desandou ar rir. Como pode? Aquele homem besta que ficava olhando as estrelas se esquecia de olhar o chão e caía de cabeça na vala! Trouxa!

Esse é o paradoxo do filósofo. Ele vive no mundo do pensamento, vigiando as estrelas, especulando ideias, elaborando conceitos, e mal olha o chão. Acaba se distanciando do mundo e vira motivo de graça de gente ignorante...

Mas, apesar de serem considerados estranhos pelas pessoas comuns, eram também muito respeitados. Em algumas cidades, em determinadas épocas, os filósofos eram até mesmo isentados de pagar impostos. Eram vistos mais ou menos como hoje vemos os monges ou as pessoas que se dedicam à calma vida ascética. Isto porque, como dizem

Apresentação

alguns, os filósofos estão certos mesmo quando estão errados. A partir de uma ideia que leva a uma, aporia, ou seja, um beco sem saída lógico, outros pensadores refletem e, como se estivessem tentando montar um quebra-cabeça, se aproximam da verdade. Em Filosofia, um erro leva a um acerto — e assim por diante.

Por isso, apesar desses paradoxos e contradições, as ideias que essa gente concebeu permitiram um grande avanço para a humanidade. Eles estabeleceram conceitos como justiça, ética, descreveram a arte da política, estudaram a origem do conhecimento, determinaram modelos de educação, aprofundaram a metafísica — ou seja, aquilo que está além do mundo físico. Todas essas visões e conceitos elaborados pelos filósofos acabaram se misturando nas bases da nossa civilização, da ciência à religião, do direito à política, da estética à ética, da psicologia à educação.

Neste livro, colocamos os maiores filósofos de todos os tempos para conversar sobre os temas de maior interesse para as pessoas — que são, por isso mesmo, as questões mais discutidas na Filosofia. E dessa conversa surgem dicas, sugestões, reflexões, conselhos que formam um verdadeiro manual de sobrevivência nessa coisa maluca que se tornou a vida pós-moderna. Você vai mergulhar na profundidade do amor, relembrar da necessidade da beleza, entender melhor a justiça verdadeira, o valor da ética, conhecer a concepção da política pensada para o bem de todos, aprender sobre a busca e, mais ainda, sobre o encontro da felicidade, e tudo isso em meio às loucuras e contradições dessa gente que se via — e que se vê — como toda especial!

Claudio Blanc

Amor

Não é à toa que amor rima com dor

O amor! Ah, o amor! Como a humanidade se debate diante desse sentimento indefinível, exasperante, tão forte que até pouco depois do período renascentista era visto como uma doença...

Certamente os gregos não foram os primeiros a falar de amor. Diversas lendas antigas, como a babilônica **Píramo e Tisbe** que inspirou Romeu e Julieta, do velho bardo Shakespeare; e como a grega Hero e Leandro, o amor sempre assombrou os homens e as mulheres e, por isso há milênios, como hoje, já se falava muito dele. Mas certamente os gregos foram os primeiros a escrever, a tentar definir e a conceituar o amor. E o primeiro a fazer isso foi Sócrates, registrado pelo seu mais famoso discípulo Platão no diálogo *O Banquete*.

Os historiadores dizem que Platão registrava fielmente os personagens atenienses em seus diálogos. Então, provavelmente, o banquete descrito por Platão nesse famoso diálogo deve ter mesmo acontecido. Nessas reuniões, depois de se empanturrarem, faziam uma roda de conversa, um simpósio, onde exibiam suas habilidades

☞ **Embora para alguns críticos** essas histórias não sejam sobre o amor, mas sobre as consequências da desobediência...

ⓘ *Píramo e Tisbe*, 1606, Antonio Tempesta, gravura.

15

Manual de Sobrevivência Filosófico

retóricas. O anfitrião decidia a quantidade de água que misturaria ao vinho para que a noite prosseguisse nessa espécie de jogo de reflexão. Muitas vezes, o barato era só encher a cara, ouvir as flautas e assistir às danças. No caso do banquete que aconteceu na casa do poeta ateniense Agatão a coisa foi mais cabeça. O tema do simpósio, o nome que os gregos davam a esses festins, foi o amor, e Sócrates dominou a conversa. Ele conta sobre o nascimento do amor e discute o amor erótico — que Platão definiu como o impulso de criar no belo — uma das mais poéticas definições de tesão.

Platão

O filósofo e matemático Arístocles, mais conhecido como Platão (c. 428-347 a.C.), foi um grande crítico do sistema político de Atenas, na época degenerado em meio à corrupção e injustiças... tipo o Brasil de hoje, sabe? Sua desilusão com a política atingiu o máximo quando seu mestre, Sócrates, foi condenado e morto em 399 a.C. O fato fez com que ele se afastasse da vida pública e passasse a desejar um Estado governado por filósofos como forma de iluminar a vida pública e privada. Mas a partir desse problema político-moral que iniciou sua busca, as indagações e reflexões de Platão foram se desdobrando em várias direções. E o cara foi fundo mesmo. A influência de Platão é tão forte, que grande parte da produção filosófica posterior irá tomar suas ideias como origem, seja para aprofundar, seja para refutar.

Trechos de *O Banquete*

Platão desenvolveu um sistema de pensamento coerente que deveria autojustificar e demonstrar sua coerência, denominado "dialética". Originalmente, esta palavra designava a técnica de discussão usada pelos sofistas. Para Platão, no entanto, a dialética era um encadeamento de raciocínios precisos, os quais impossibilitavam a refutação. Um exemplo da dialética de Platão são os *Diálogos* de Sócrates, e um dos diálogos mais famosos é *O Banquete*, onde ele discute o amor.

A origem do amor: um mito

Neste trecho, Sócrates explica a natureza do Amor, conforme aprendeu de sua mestra Diótima de Mantineia. Aqui, o filósofo reproduz uma conversa que teve com Diótima, muitos anos antes do banquete na casa de Agatão.

(Sócrates) — O que então é amor? — perguntei. — Ele é mortal?

(Diótima) — Não.

(Sócrates) — O que então?

(Diótima) — Como no primeiro caso, ele não é nem mortal nem imortal, mas um meio-termo entre os dois.

(Sócrates) — O que é ele, Diótima?

(Diótima) — Ele é um grande espírito (daimon) e, como todos os espíritos, é intermediário entre o divino e o mortal.

(Sócrates) — E qual é seu poder? — perguntei.

(Diótima) — Ele é o intérprete entre deuses e homens, levando para os deuses as orações e sacrifícios dos homens, e trazendo para os homens as ordens e respostas dos deuses — respondeu ela —; ele é o mediador que atravessa o abismo que divide mortais e imortais e, portanto, nele tudo está unido e, por meio dele, as artes do profeta e do sacerdote, seus sacrifícios, mistérios, feitiços, e todas as profecias e encantamentos encontram seu caminho.

Pois Deus não se mistura com o homem; mas por meio do Amor toda a relação e conversação de Deus com o homem, acordado ou adormecido, é conduzida e realizada. A sabedoria que compreende isso é espiritual; todo outro conhecimento, como o das artes e do artesanato, é mesquinho e vulgar. Agora, esses espíritos ou poderes intermediários são muitos e diversos, e um deles é o Amor.

(Sócrates) — E quem eram seu pai e sua mãe? — indaguei.

(Diótima) — A história levará tempo; no entanto, eu lhe contarei — respondeu ela. No aniversário de Afrodite houve uma festa dos deuses, na qual o deus Poro, ou Riqueza, que é filho de Métis, ou Prudência, era um dos convidados. Quando a festa acabou, Pênia ou Pobreza, surgiu à porta para mendigar, como costuma fazer em tais ocasiões. Ora, Riqueza, que ficou mal de tanto néctar que bebeu (não havia vinho naqueles dias), entrou no jardim de Zeus e caiu num sono pesado, e Pobreza, considerando suas circunstâncias difíceis, decidiu que seria vantajoso ter um filho dele, e, assim, deitou-se com ele e concebeu Amor, que, por ser naturalmente amante do belo, e porque Afrodite é ela mesma bela, e também porque nasceu em seu aniversário, tornou-se seu seguidor e acompanhante. E conforme seus pais, assim também é seu destino. Em primeiro lugar, ele é sempre pobre e nada além de terno e justo, como muitos imaginam; ele é grosseiro e esquálido, anda descalço e não tem casa para morar; dorme sobre a terra nua exposta, sob o céu aberto, nas ruas ou nas portas das casas; e, como sua mãe, está sempre em dificuldade. Como seu pai, com quem ele também se parece, está sempre conspirando contra o justo e o bom; é ousado, empreendedor, forte, um poderoso caçador, sempre tecendo alguma intriga ou outra, ávido na busca da sabedoria, fértil em

recursos; um filósofo em todos os momentos, terrível como um mago, feiticeiro, sofista. Por causa de sua natureza, não é nem mortal nem imortal, mas vivo e florescente no momento em que está pleno, morto em outro momento, e novamente vivo em razão da natureza de seu pai. Mas aquilo que sempre flui para dentro, sempre flui para fora, e assim ele nunca é carente e nunca é rico; além disso, ele é o meio-termo entre ignorância e conhecimento. A verdade é esta: nenhum deus é filósofo ou alguém que busca a sabedoria, pois já é sábio; tampouco qualquer sábio busca sabedoria. Nem os ignorantes buscam sabedoria. Pois eis aqui o mal da ignorância: aquele que não é bom, nem sábio, todavia, está satisfeito consigo mesmo; ele não tem desejo daquilo de que não sente falta.

(Sócrates) — Mas quem, então, Diótima, são os amantes da sabedoria, se não são nem os sábios nem os tolos? — perguntei.

(Diótima) — Uma criança pode responder a esta pergunta — respondeu ela. — São aqueles que estão entre os dois. O amor é um deles. Pois a sabedoria é uma coisa muito bela, e o Amor é amor pelo belo; e, portanto, o Amor é também filósofo ou amante da sabedoria, e ser amante da sabedoria é o meio-termo entre ser sábio e ser ignorante. E isso também se deve à sua origem, porque seu pai é rico e sábio, e sua mãe pobre e tola. Tal, meu querido Sócrates, é a natureza do espírito Amor. O erro que você cometeu na sua concepção dele foi muito natural, e como eu imagino pelo que você diz, surgiu de uma confusão entre o amor e o amado, que fez você pensar que o amor fosse completamente belo. Pois o amado é o verdadeiramente belo, delicado, perfeito e abençoado; mas o princípio do amor é de outra natureza e é tal como descrevi.

A Necessidade do Amor: agora tá tudo explicado!

Aristófanes é o próximo a falar (...)

Os sexos eram originalmente três: homens, mulheres e a união dos dois; e eles eram circulares — tendo quatro mãos, quatro pés, duas faces em um pescoço circular e todo o resto correspondente. Terrível era sua força e rapidez; e quiseram escalar o céu e atacar os deuses. A dúvida reinou nos conselhos celestes; os deuses estavam divididos entre o desejo de reprimir o orgulho do Homem e o medo de deixar de receber os sacrifícios. Finalmente Zeus encontrou uma solução.

— Vamos cortá-los em dois — disse.
— Então, só terão metade de sua força e receberemos o dobro de sacrifícios.

Assim falou e os dividiu como se cortam ovos com cabelo; e ao fazer isto, ordenou a Apolo que virasse seus rostos na direção da mutilação, esticando a pele que sobrou e amarrando-a em um nó sobre o umbigo. Mas, assim divididas, as duas metades originais passaram a procurar uma pela outra e deixavam-se morrer de fome nos braços uma da outra. Então Zeus inventou o expediente dos sexos, o que lhes permitiu gerar e seguir com a vida. Ora, os caráteres dos homens diferiam conforme sua origem, de acordo com o gênero a que pertenceram originalmente, homem, mulher ou homem-mulher. Aqueles que têm sua origem no homem-mulher são lascivos e adúlteros; aqueles que vêm da mulher buscam unir-se a outras mulheres; e aqueles que são originários do homem

☞ **Hefesto é o deus grego do fogo**, equivalente ao Vulcano dos romanos. Ele também era o inventor dos deuses, fabricando armas e utensílios maravilhosos. Uma das lendas a seu respeito reza que ele era tão feio ao nascer, que sua mãe, a deusa Hera, o arremessou monte Olimpo abaixo. Na queda, Hefesto quebrou as pernas. Por isso, era um deus manco.

ⓘ *Hefesto (Vulcano), Guillaume Coustou, 1742, escultura de mármore.*

buscam outro homem e o abraçam, e nele todos os seus desejos se centram. Os dois são inseparáveis e vivem juntos em afeto puro e viril; no entanto, não conseguem definir o que querem um do outro. Mas se **Hefesto** viesse a eles com seus instrumentos e propusesse que fossem fundidos em um e permanecessem para sempre um, eles diriam que isto é exatamente o que desejam. Pois o amor é o desejo pelo todo, e a busca pelo todo é chamada de amor. Houve um tempo em que os dois sexos eram apenas um, mas agora Deus os cortou no meio — como os **lacedemônios** cortaram os arcadianos — e, se não se comportarem, os dividirá novamente, e eles caminharão por aí aos tropeços, com o nariz e rosto iguais aos de um baixo-relevo. Por isso, exortemos todos os homens à piedade, a fim de obtermos os bens de que o amor é o autor, e nos reconciliarmos com Deus, e encontrarmos nossos próprios amores verdadeiros, o que raramente acontece neste mundo.

☞ **Os lacedemônios são os espartanos**, e os arcadianos são os habitantes da Arcádia, uma antiga província da Grécia que acabou virando um país imaginário na cabeça dos poetas renascentistas e românticos, um lugar de felicidade, paz e simplicidade habitado por pastores que viviam em harmonia com a natureza.

ⓘ *Arcádia Feliz, Konstantin Makovsky, 1890, óleo sobre tela.*

Rousseau

Jean-Jacques Rousseau (1712-1778), que além de filósofo, teórico político e escritor era compositor autodidata, foi um dos principais pensadores do Iluminismo e um precursor do Romantismo. Para ele, as instituições educativas corrompem o homem e o privam de sua liberdade. Rousseau sustentava que para a criação de um novo homem e de uma nova sociedade, seria preciso educar a criança de acordo com a Natureza, desenvolvendo

Manual de Sobrevivência Filosófico

progressivamente seus sentidos e a razão para desenvolver a liberdade e a capacidade de julgar.

Trechos de *Emílio*

É irônico pensar que alguém que deu seus 5 filhos para adoção tem alguma coisa a falar sobre a educação ou, mais ainda, sobre o amor dos filhos. No entanto, foi exatamente o que Jean-Jacques Rousseau fez. E se deu bem. No seu livro *Emílio ou da educação*, Rousseau afirma que as instituições educativas corrompem o homem e o privam de sua liberdade — sim, isso mesmo: *Another Brick in the Wall* séculos antes do Pink Floyd. Pelo visto, a educação pode até ter se democratizado, mas não mudou...

Para a criação de um novo homem e de uma nova sociedade seria preciso educar a criança de acordo com a natureza desenvolvendo progressivamente seus sentidos para que ela possa ser livre e com capacidade de julgar. Por isso, Rousseau discute em profundidade um dos aspectos fundamentais do amor; não o amor erótico como discutido por Platão no seu *Banquete*, mas o amor de si mesmo. Em *Emílio*, Rousseau afirma que o amor de si mesmo precisa ser contrabalanceado com a piedade para que ele não se desvirtue em amor-próprio, isto é, em egoísmo desenfreado. Para esse filósofo suíço, o amor de si mesmo contrabalanceado pela piedade leva progressivamente aos sentimentos de humanidade e justiça.

Amor filial

(...)

O primeiro sentimento da criança é o amor-próprio; e o segundo, que é derivado dele, é amor por aqueles ao seu

redor; pois no seu presente estado de fraqueza ela só está ciente das pessoas por meio da ajuda e atenção recebidas delas. No começo, sua afeição por sua ama e sua governanta é mero hábito. Ela as procura porque precisa delas e porque é feliz quando elas lá estão; é mais percepção do que sentimento terno. Demora muito tempo para descobrir não só que são úteis para ela, mas que desejam ser úteis para ela, e então é que ela começa a amá-las. (...)

O Cheiro do Amor

O cheiro é o sentido da imaginação; como dá tom aos nervos, deve ter um grande efeito no cérebro; é por isso que nos revivifica por um tempo, mas eventualmente provoca exaustão. Seus efeitos no amor são geralmente reconhecidos. Os perfumes doces de um camarim não são tão leves como você pode imaginar. E Eu mal sei se devo parabenizar ou se me compadeço dessa pessoa sábia e um tanto insensível, cujos sentidos nunca são agitados pelo cheiro das flores que sua amante põe no seio. (...)

👉 **Rômulo foi o fundador de Roma** junto com seu irmão gêmeo Remo, e o primeiro rei dessa cidade, depois de assassinar o irmão. Segundo a lenda, os dois tinham sido abandonados na floresta por sua mãe na mata para escapar do assassino de seu avô, o rei Numitor, e criados por uma loba.

ⓘ *A loba Capitolina. Antonio del Pollaiuolo. Século V a. C. escultura em bronze.*

Amor a si mesmo

A autopreservação requer, portanto, que nos amemos a nós mesmos; devemos nos amar acima de tudo, e por conta disso, amamos o que contribui para a nossa preservação. Cada criança gosta de sua ama; **Rômulo** deve ter amado a loba que o amamentou. A princípio, esse apego é bastante inconsciente; o indivíduo é atraído pelo que contribui com seu bem-estar e se afasta daquilo que é prejudicial; isso é meramente um instinto cego.

O que transforma esse instinto em sentimento, o gosto em amor, a aversão ao ódio, é a intenção evidente de nos ajudar ou de nos ferir.

(...)

Estenda o amor-próprio aos outros e ele é transformado em virtude, uma virtude que tem sua raiz no coração de cada um de nós. Quanto menos o objeto de nosso cuidado for diretamente dependente de nós mesmos, menos teremos que temer a ilusão do interesse próprio; quanto mais geral esse interesse se torna, mais justo; e o amor da raça humana nada mais é que o amor da justiça dentro de nós. E se, portanto, desejamos que Emile seja um amante da verdade, se desejamos isso ele deve realmente perceber isso, vamos mantê-lo longe do interesse próprio em todos os seus negócios. Quanto mais atenção ele concede à felicidade dos outros, mais sábio e melhor ele é, e menos erros cometerá para distinguir entre o bem e o mal; mas nunca lhe permita qualquer preferência cega fundada meramente na predileção pessoal ou no preconceito injusto. Por que ele deveria prejudicar uma pessoa para servir outra? O que importa àquele que tem o maior quinhão de felicidade, desde que ele promova a felicidade de todos? Longe do interesse próprio, esse cuidado com o bem-estar geral é a primeira preocupação do sábio, cada um de nós faz parte da raça humana e não parte de qualquer indivíduo membro dessa raça.

(...)

Amamos muito mais nosso desejo do que o objeto desse desejo. Se víssemos o objeto de nossas afeições como de fato is, não haveria uma coisa tal como amor. Quando deixamos de amar, a pessoa que amamos permanece a mesma, mas não a vemos mais com os mesmos olhos; o véu mágico é retirado e o amor desaparece. Mas quando sou eu que forneço o objeto da imaginação, tenho controle sobre comparações, e sou facilmente capaz de evitar a ilusão em relação às realidades.

Instintivamente racional

A direção do instinto é incerta. Um sexo é atraído pelo outro; esse é o impulso da natureza. Escolha, preferências, gostos individuais, são resultado da razão, preconceito e hábito; tempo e conhecimento são necessários para nos tornar capazes de amar; não amamos sem ponderar, ou preferimos sem comparar. Esses julgamentos não são menos que a realidade, embora sejam formados inconscientemente.

O verdadeiro amor, seja lá o que você possa dizer, sempre será honrado pela humanidade; pois, embora seus impulsos nos desencaminhem, embora não feche a porta do coração a certas qualidades detestáveis, apesar de até mesmo ser a origem delas, ainda assim sempre pressupõe certas características dignas, sem as quais seríamos incapazes do amor. Esta escolha, que parece ser contrária à razão, de fato, brota da razão. Dizemos que o amor é cego, porque seus olhos são melhores que os nossos, e ele percebe relações que não podemos discernir. Todas as mulheres seriam iguais para um homem que não tenha ideia da virtude ou beleza, e a primeira a chegar seria sempre a mais encantadora.

O amor não brota da natureza, longe disso; é a orientação e a lei de seus desejos; é o amor que torna todos indiferentes uns aos outros, exceto a pessoa amada.

Manual de Sobrevivência Filosófico

Queremos inspirar a preferência que sentimos; o amor deve ser mútuo.

Para ser amados, devemos ser dignos do amor; para ser preferidos, devemos ser mais dignos do que o resto, pelo menos aos olhos da pessoa amada.

Por isso começamos a olhar ao redor, aos nossos semelhantes; começamos a nos comparar com eles, há emulação, rivalidade e ciúme.

Um coração que transborda adora dar-se a conhecer; da necessidade de uma amante, logo surge a necessidade de uma amiga. Aquele que sente como é doce ser amado, deseja ser amado por todos; e não poderia haver preferências, se não houvesse muitos que não conseguem encontrar satisfação. Com o amor e a amizade começam dissensões, inimizade e ódio. Vejo com deferência as opiniões das outras pessoas entronadas entre todas essas paixões; e tolos mortais, escravizados por seu poder, baseiam sua própria existência meramente no que as outras pessoas pensam.

O desejo de ser amado

Aquele que ama deseja ser amado, Emile ama seus companheiros e deseja agradá-los. Ainda mais, ele deseja agradar as mulheres; sua idade, seu caráter, o objeto que ele tem em vista, tudo aumenta esse desejo. Digo seu caráter, pois isso tem um grande efeito; os homens de bom caráter são aqueles que realmente adoram mulheres. Eles não têm a linguagem zombeteira da intriga amorosa como o resto, mas seu anseio é mais genuinamente terno, porque vem do coração. Na presença de uma jovem, eu seria capaz de identificar um jovem de caráter e autocontrole entre cem mil libertinos.

(...)

Nem um amigo nem uma amante podem ser comprados. As mulheres podem ser conquistadas pelo dinheiro, mas esse caminho nunca levará ao amor. O amor não só não pode ser comprado, como o dinheiro o mata. Se um homem paga, mesmo que seja o mais gentil dos homens, o mero fato de ter pagado impediria qualquer afeto duradouro. Ele logo estará pagando outra pessoa, ou melhor, alguém mais receberá seu dinheiro; e nessa ligação dupla baseada em autossatisfação e devassidão, sem amor, honra, ou prazer verdadeiro, a mulher está ávida, sem fé, e infeliz, e é tratada pelo miserável a quem ela dá seu dinheiro do mesmo modo como ela trata o tolo que lhe dá dinheiro; ela não tem amor por nenhum dos dois. Seria doce mentir profusamente para quem amamos, se isso não fizesse do amor uma barganha. Conheço apenas uma maneira de gratificar esse desejo com a mulher que se ama sem causar ressentimento; é dar tudo o que temos a ela e viver por conta dela. Resta saber se existe alguma mulher com quem tal conduta não seria imprudente.

Aquele que disse: "Laís é minha, mas eu não sou dela", estava falando bobagem.

Posse que não é mútua não é nada; no máximo é a posse do sexo, não do indivíduo. Mas se não há moralidade no amor, por que fazer tanto barulho pelo resto? Nada é tão fácil de encontrar. Um condutor de mulas está, nesse ponto, tão perto da felicidade quanto um milionário.

(...)

Sabe aquele velho babão?

Mas um sátiro envelhecido, desgastado pela devassidão, sem charme, sem consideração, nenhum pensamento

Manual de Sobrevivência Filosófico

⇨ **Quando Hércules foi lutar contra o leão de Citeron**, no caminho ele se hospedou no palácio do rei Téspio, senhor do reino da Téspia, onde foi muito bem recebido. Tendo ouvido falar do prodigioso filho de Zeus, Téspio fizera planos para Hércules. O rei tinha cinquenta filhas, e temendo que alguma delas se casasse com alguém sem valor, resolveu que cada uma delas teria um filho de Hércules. Assim, Téspio fez com que Hércules passasse cinquenta noites em seu palácio, cada uma delas em companhia de uma de suas filhas. Algumas versões, porém, dizem que Hércules possuiu as cinquenta filhas de Téspio numa só noite. Apenas uma delas, Ônfale, recusou Hércules e permaneceu virgem, servindo como sacerdotisa no templo do herói até a morte. Assim, Hércules gerou cinquenta e um filhos nas princesas de Téspia. A mais velha delas, Prócris, e a mais nova lhe deram gêmeos. Esses netos de Téspio não morreram. Quando chegou o tempo de sua passagem para o outro mundo dormiram um sono profundo, eterno. Seus corpos não se corromperam e nem foram enterrados.

❶ *As filhas de Téspio*, Gustave Moreau, 1853, óleo sobre tela

para outro que não seja ele mesmo, sem nenhum fragmento de honra, incapaz e indigno de encontrar favor aos olhos de qualquer mulher que conhece um pouco sobre homens que merecem amor, espera conseguir isso de uma moça inocente, usando sua inexperiência e mexendo com suas emoções pela primeira vez. Sua última esperança é encontrar favor como novidade; sem dúvida, este é o motivo secreto desse desejo; mas ele está enganado, o horror que ele provoca é tão natural quanto os desejos que ele queria despertar. Ele também está enganado em sua tentativa tola; essa mesma natureza cuida de afirmar os direitos dela. Toda moça que se vende não é mais uma donzela; ela se deu ao homem de sua escolha, e está fazendo a mesma comparação que ele teme. O prazer comprado é imaginário, mas nem por isso é menos odioso.

(...)

Poderosas!

Veja como nos vemos, inconscientemente, levados do físico para a constituição moral, como da união grosseira dos sexos brotam as doces leis do amor. A mulher reina, não pela vontade do homem, mas pelos próprios decretos da natureza; ela tinha o poder muito antes de o revelar. Aquele mesmo Hércules que propôs violar todas as cinquenta filhas de **Téspio**.

PLATÃO • ROUSSEAU

Foram obrigadas a girar aos pés de Omfale, e Sansão, o homem forte, era menos forte do que **Dalila**.

Esse poder não pode ser tirado da mulher; é dela por direito; ela teria perdido há muito tempo, se fosse possível.

(...)

As consequências do sexo são totalmente diferentes para o homem e para a mulher. O homem é apenas viril de vez em quando, mas a mulher é sempre feminina, ou pelo menos durante toda a sua juventude; tudo a lembra de seu sexo; o desempenho de suas funções requer uma constituição especial. Ela precisa de cuidados durante a gravidez e de ausentar-se do trabalho quando seu filho nasce; deve ter tranquilidade e calma enquanto cuida de suas crianças; sua educação exige paciência e gentileza, por um zelo e um amor que nada pode desanimar; ela forma o vínculo entre pai e filho, só ela pode conquistar o amor do pai pelos seus filhos e convencê-lo de que eles são realmente seus. Quanto amor e cuidado são necessários para manter uma família unida! E não deveria haver qualquer questão de virtude em tudo isso; deve ser um trabalho de amor, sem o qual a raça humana estaria fadada à extinção.

(...)

Não há amor verdadeiro sem entusiasmo, e nenhum entusiasmo sem um objeto de perfeição real ou pretendido, mas sempre presente na imaginação. O que há para acender os corações

De acordo com a Bíblia, a força de Sansão, o homem mais forte do mundo, estava nos cabelos. Dalila só precisou cortá-los para deixar Sansão à sua mercê.

Sansão e Dalila, Anthony van Dyck, 1628/30, óleo sobre tela.

29

daqueles amantes para quem esta perfeição não é nada, para quem o ser amado é meramente o meio de satisfazer o prazer sensual? Não, não é assim que o coração se acende, não é assim que ele se abandona a esses sublimes transportes que concebem o arrebatamento dos amantes e o encanto do amor. O amor é uma ilusão, garanto a você, mas sua realidade consiste nos sentimentos que ele desperta, no amor pela verdadeira beleza que ela inspira. Aquela beleza não é encontrada no objeto de nossas afeições, é criação de nossas ilusões. O que importa? Não sacrificamos todos esses sentimentos mais básicos ao modelo imaginário? E ainda alimentamos nossos corações com as virtudes que atribuímos ao amado, ainda abdicamos da baixeza da natureza humana. Há algum amante que não daria a vida por sua amada? Que paixão bruta e sensual há num homem disposto a morrer? Nós zombamos dos cavaleiros do passado; eles conheciam o significado do amor; nós não conhecemos nada além da devassidão. Quando os ensinamentos dos romances começaram a parecer ridículos, é menos obra da razão do que da imoralidade.

(...)

O amor verdadeiro é outro assunto. Eu mostrei, no trabalho já referido, que este sentimento não é tão natural como os homens pensam, e que há uma grande diferença entre o hábito suave que liga um homem com cordas de amor à sua companheira, e a paixão desenfreada que é intoxicada pelos encantos imaginados de um objeto que ele já não vê em sua luz verdadeira. Essa paixão, que é cheia de exclusões e preferências, só difere da vaidade nesse respeito: que a vaidade exige tudo e não dá nada, de modo que é sempre prejudicial, enquanto o amor, dando tanto quanto exige, é em si um sentimento equânime. Além disso, quanto mais

exigente, mais crédulo; essa mesma ilusão que deu origem a isso torna-o mais fácil persuadir. Se o amor é suspeito, a estima é confiável; e amor nunca existirá em um coração honesto sem estima, pois cada qual ama no outro as qualidades que ele honra.

(...)

Casamento

Afeição e atos bondosos raramente ganham corações e raramente os conquistam de volta. Volto à minha receita contra o esfriamento do amor no casamento.

— É claro e simples — continuo. — Consiste em permanecer amantes quando vocês são marido e mulher.

— De fato — disse Emile, rindo do meu segredo —, isso não vai ser tão difícil para nós.

— Talvez você ache mais difícil do que pensa. Ora, me dê tempo para explicar. Cabos muito esticados são logo quebrados. Isso é o que acontece quando o vínculo matrimonial é submetido a uma tensão muito grande. A fidelidade imposta ao marido e à mulher é o mais sagrado de todos os direitos; mas dá a cada um poder muito grande sobre o outro.

Restrição e amor não andam juntos, e prazer não é para pedir (...) Você, que como imagem de alegrias voluptuosas, vê somente amantes felizes imersos no prazer, saiba que sua imagem é muito imperfeita; você tem aí apenas a parte mais grosseira, pois os encantos mais doces de prazer não estão lá. Qual de vocês já viu um jovem casal, bem casados, no dia seguinte ao seu casamento? Sua aparência casta, ainda que lânguida, trai a intoxicação da felicidade que desfrutam, a abençoada segurança da inocência e a deliciosa certeza de que eles passarão o resto da vida juntos. O coração do homem não pode contemplar visão mais arrebatadora. Esta é a verdadeira imagem da felicidade. Você viu isso cem vezes sem prestar atenção. (...) Apesar de todas as precauções, os prazeres são destruídos pela posse, sobretudo o amor. Mas quando o amor durou o bastante, um doce hábito toma seu lugar, e o charme da confiança sucede os arrebatamentos da paixão. As crianças formam uma ligação entre seus pais, um vínculo não menos terno, um laço que às vezes é mais forte que o próprio amor. Quando você deixar de ser amante de Emile, será sua amiga e esposa; será a mãe de seus filhos.

Então, em vez de sua primeira reticência, deixe que haja a mais completa intimidade entre você; sem camas separadas, sem recusas, sem caprichos. Torne-se tão verdadeiramente sua melhor metade que ele não possa mais funcionar sem você, e se ele se for, deixe-o sentir que está longe de si mesmo (...)

Angústia

A cada esquina da vida você me encontra...

Angústia é um mal da vida humana que se tornou crônico nestes insanos tempos pós-modernos. E o mais louco é que a angústia tem a ver com a liberdade. É assim: o ser humano é o único animal capaz de ser livre. Todos os outros seguem o instinto e não escolhem suas ações. O humano, ao contrário, tem capacidade de escolher o que fazer e até tomar atitudes contrárias ao que supostamente seria o natural. Então, isso é a liberdade, isto é, poder fazer escolhas próprias para o bem ou para o mal. E isso gera uma bruta angústia.

Esse tema foi bem discutido por alguns filósofos, entre eles Sartre. Mas, provavelmente, o mais angustiado de todos os filósofos foi o dinamarquês Søren Kierkegaard. Assim, como não podia deixar de ser, colocamos esses dois filósofos para falar sobre esse sentimento tão humano, mas que pode estragar a vida de qualquer mortal.

Kierkegaard

Søren Kierkegaard nasceu em Copenhague, Dinamarca, em 1813. Ele já era profundamente marcado por angústias pessoais e familiares, mas o que pegou mesmo foi o rompimento de seu noivado com Regina Olsen. O pior é que foi ele quem terminou, tomado por encanações filosóficas e religiosas. Kierkegaard tinha mesmo um sentimento trágico e acabou desenvolvendo um pensamento calcado em suas experiências pessoais. Atacou o cristianismo e especialmente o luteranismo de seu país natal. Dizia que a vivência da religiosidade é melhor do que seguir a religião estabelecida. Também combateu o hegelianismo e a metafísica especulativa, por seu caráter abstrato e sua busca do universal, defendendo a necessidade de uma "filosofia existencial". Pois é, Kierkegaard é mesmo um dos primeiros filósofos existenciais.

Seu estilo irônico, polêmico e também poético, sem nenhuma preocupação teórica ou sistemática, é muito distante da forma tradicional do tratado filosófico de sua época. Grande parte da sua obra trata de como a pessoa humana deve viver. Kierkegaard enfatiza a prioridade da realidade humana concreta em relação ao pensamento abstrato, dando ênfase à importância da escolha e compromisso pessoal. A obra de Kierkegaard também explora as emoções e sentimentos dos indivíduos quando confrontados com as escolhas que a vida oferece. Finalmente, o filósofo critica a ética cristã e suas instituições, as igrejas.

Quase todas as suas obras foram publicadas sob vários pseudônimos que apresentam cada um deles os seus pontos de vista distintivos e que interagem uns com os outros em diálogos complexos.

Kierkegaard morreu cedo, em 1855, aos 42 anos.

Trechos de *O Conceito de Angústia*

Nesse livro, publicado em 1844, Kierkegaard tenta conceituar angústia. Ele analisa a relação entre pecado e culpa. A angústia é causada pela escolha que a gente tem de fazer. Kierkegaard dá o exemplo de Adão tendo de escolher se comia ou não o fruto proibido. Só que a angústia também é um jeito de se conseguir a salvação. Para esse filósofo, a pessoa só se torna consciente do seu potencial depois de passar pela experiência de ansiedade ou angústia.

Quando se admite que a proibição desperta o desejo, obtém-se em vez da ignorância um saber, pois neste caso Adão deve ter tido um saber acerca da liberdade, uma vez que o prazer consistia em usá-la. Esta explicação é, desse modo, *a posteriori*. A proibição o angustia porque desperta nele a possibilidade da liberdade. O que tinha passado desapercebido pela inocência como o nada da angústia, agora se introduziu nele mesmo, e aqui de novo é um nada: a angustiante possibilidade de ser-capaz-de. Ela não tem nenhuma ideia do que é que ela seria capaz de fazer, pois de outro modo se pressupõe, certamente — como em geral sucede — o que só vem depois, a distinção entre bem e mal. Existe apenas a possibilidade de ser-capaz-de, enquanto uma forma superior da ignorância e enquanto uma expressão superior da angústia, porque esta capacidade, num sentido superior, é e não é, porque num sentido superior ela a ama e foge dela.

Às palavras da proibição seguem-se as palavras da sentença: "Certamente você vai morrer". O que significa morrer, Adão, naturalmente, não compreende de jeito nenhum, mas, por outro lado, nada impede, se aceitarmos

Manual de Sobrevivência Filosófico

👉 **Hoje, autoras feministas** discordam dessa afirmação, sustentando que nem todas as mulheres têm vocação para a maternidade, que é, de fato, uma escolha pessoal e não um ideal social.

ℹ️ *Nós podemos fazer isso!*, J. Howard Miller, 1943, pôster.

que isso lhe foi dito, que tenha recebido a representação de algo horrível. Pois até o animal é capaz de, neste sentido, entender a expressão mímica e o movimento da voz do que fala, sem ter entendido a palavra. Se acaso se admite que o desejo desperta a proibição, então também se deve admitir que a ameaça do castigo desperta uma representação assustadora. No entanto, isso confunde as coisas. O horror aqui apenas se converte em angústia, pois Adão não compreendeu o enunciado e tem novamente apenas a ambiguidade da angústia. A infinita possibilidade de ser-capaz-de, que a proibição despertou, aproxima-se agora ainda mais porque esta possibilidade manifesta outra possibilidade como sua consequência.

Assim, a inocência foi levada ao seu extremo. Ela está na angústia em relação com o proibido e com o castigo. Ela não é culpada e, não obstante, há uma angústia, como se ela já estivesse perdida.

A Psicologia não pode ir mais além, mas é capaz de chegar até este ponto, e isso mais do que tudo ela pode demonstrar inúmeras vezes em sua observação da vida humana.

(...)

Considerada do ponto de vista ético, a mulher culmina na **procriação**. Por isso diz a Escritura que seu desejo a impelirá para o homem. É certo que também o desejo do homem está voltado para ela; mas a vida dele não culmina neste desejo, a não ser que essa vida seja má

ou perdida. O fato, porém, de que a mulher culmina neste ponto, mostra, justamente, que ela é mais sensual.

A mulher está mais sujeita à angústia do que o homem. Ora, isso não tem a ver com o fato de que ela possui menor força física etc., pois aqui não se trata, absolutamente, desse tipo de angústia; mas se baseia no fato de que ela é mais sensual e, contudo, está por essência determinada espiritualmente, do mesmo modo que o homem. Por isso, o que tem sido dito por aí, o tempo todo, que ela é o sexo mais fraco, me é bastante indiferente; pois por essa mesma razão ela poderia muito bem se angustiar menos do que o homem. A angústia aqui precisa ser tomada sempre na direção da liberdade. Quando, então, a narrativa do Gênesis, contrariamente a toda analogia, faz a mulher seduzir o homem, isto, examinando mais de perto, está absolutamente em ordem, pois tal sedução é exatamente uma sedução feminina, dado que Adão, afinal, a rigor, só por meio de Eva vem a ser seduzido pela serpente. Nas demais situações, quando se fala de sedução, a linguagem usual (encantar, persuadir etc.) insiste sempre na superioridade do homem.

O que se pode então admitir como reconhecido por toda experiência, quero apenas mostrar com uma observação experimental. Quando imagino uma mocinha inocente, e deixo que um homem lhe atire um olhar de desejo: aí ela se sentirá presa da angústia. Ela pode, de resto, ficar indignada etc., mas em primeiro lugar ela fica angustiada. Se imaginar, por outro lado, uma mulher a atirar olhares cheios de desejo sobre um jovem inocente, aí seu estado de ânimo não será de angústia, mas quando muito sentirá um pudor misturado com repugnância, justamente porque ele está mais determinado como espírito.

Pelo pecado de Adão, a pecaminosidade entrou no mundo, e com ela a sexualidade, e essa veio a significar, para ele, a pecaminosidade. O sexual foi posto. Muita conversa tem circulado no mundo, oralmente ou por escrito, sobre a ingenuidade. Porém, só a inocência é ingênua, mas ela também é insciente. Logo que o sexual chega à consciência, querer falar de ingenuidade é falta de reflexão, afetação e, muitas vezes, pior ainda, um disfarce para o desejo. Contudo, só porque o homem não é mais ingênuo, daí não se segue que ele peque. Apenas essas insípidas adulações é que atraem os homens, justamente desviando-lhes a atenção do verdadeiro e dos bons costumes.

Jean-Paul Sartre

Jean-Paul Sartre (1905-1980) foi um dos poucos filósofos importantes de nossa época a não pertencer ao mundo acadêmico. Nascido em Paris em 1905, foi professor de liceu em várias cidades do interior da França. Quando o país foi invadido pela Alemanha, militou na resistência francesa, tendo sido preso pelos alemães. Depois da guerra, em 1945, fundou a influente revista *Les temps modernes*, passando a dedicar-se à atividade literária. Sua parceria com Simone de Beauvoir, com quem manteve um casamento aberto, foi famosa.

O existencialismo de Sartre prega que, no homem, a existência que precede a essência se identifica com sua liberdade. Desde nosso nascimento, somos lançados e abandonados no mundo, sem apoio e sem referência de valores. Assim, somos nós que devemos criar nossos valores por meio de nossa própria liberdade e sob nossa própria responsabilidade. Quando Sartre diz que a existência precede a essência

é porque, para ele, a liberdade é a essência do homem: "A liberdade do *para-si* aparece como seu ser", escreve.

O cerne do existencialismo é a liberdade, pois cada indivíduo é definido por aquilo que ele faz. Daí o interesse dos existencialistas pela política: somos responsáveis por nós mesmos e por aquilo que nos cerca, notadamente, a sociedade: aquilo que nos cerca é nossa obra. Assim, a gente é aquilo que cada um faz de sua vida, nos limites das determinações físicas, psicológicas ou sociais que pesam sobre nós. Mas não existe uma natureza humana da qual nossa existência seria um simples desenvolvimento.

Sartre morreu em 1980.

Trechos de *A Náusea*

Os autores existencialistas, como Sartre, Simone de Beauvoir e Albert Camus, usavam a literatura para divulgar o pensamento dessa corrente filosófica. Eles faziam isso porque o pensamento existencialista, que é abstrato e generalizante, não apreende a existência individual, na qual a angústia tem um papel de destaque. Por isso, o existencialismo usa a literatura e o teatro, expondo a filosofia em romances e peças teatrais.

No seu romance A Náusea, *lançado em 1938 e um dos seus livros mais conhecidos, Sartre cria um protagonista convencido de que objetos e situações inanimados interferem em sua capacidade de se definir, em sua liberdade intelectual e espiritual, provocando nele uma sensação de náusea. A ideia parece loucura, mas é bem real.*

O homem é livre porque não é si mesmo, mas a presença a si. O ser que é o que é não poderia ser livre. A liberdade é precisamente o nada que é tendo sido no âmago do homem

Manual de Sobrevivência Filosófico

e obriga a realidade humana a fazer-se em vez de ser. [...], para a realidade humana, ser é escolher-se: nada lhe vem de fora, ou tampouco de dentro, que ela possa receber ou aceitar. Está inteiramente abandonada, sem qualquer ajuda de nenhuma espécie, à insustentável necessidade de fazer-se ser até o mínimo detalhe. Assim, a liberdade não é um ser: é o ser do homem, ou seja, seu nada de ser.

(...)

Sou responsável por tudo, de fato, exceto por minha responsabilidade mesmo, pois não sou o fundamento do meu ser. Portanto, tudo se passa como se eu estivesse coagido a ser responsável. Sou abandonado no mundo, não no sentido de que permanecesse desamparado e passivo em um universo hostil, tal como a tábua que flutua sobre a água; mas, ao contrário, no sentido de que me deparo subitamente sozinho e sem ajuda, comprometido em um mundo pelo qual sou inteiramente responsável, sem poder, por mais que tente, livrar-me um instante sequer, desta responsabilidade, pois sou responsável até mesmo pelo meu próprio desejo de livrar-me das responsabilidades.

(...)

Trechos de *O Ser e o Nada*

Sartre publicou esse tratado em 1943 para definir a consciência como uma coisa transcendente. Esse trabalho deu o maior impulso ao Existencialismo.

Assim, não diremos que um prisioneiro é sempre livre para sair da prisão, o que seria absurdo, nem tampouco que é sempre livre para desejar sua libertação, o que seria um truísmo irrelevante, mas sim que é sempre livre para tentar

escapar (ou fazer-se libertar) — ou seja, qualquer que seja sua condição, ele pode projetar uma evasão e descobrir o valor de seu projeto por um começo de ação.

(...)

Na angústia, não captamos simplesmente o fato de que os possíveis que projetamos acham-se perpetuamente corroídos pela nossa liberdade-por-vir, mas também apreendemos nossa escolha, ou seja, nós mesmos, enquanto injustificável, isto é, captamos nossa escolha como algo não derivado de qualquer realidade anterior.

(...)

[...] é na angústia que o homem toma consciência de sua liberdade, ou, se se prefere, a angústia é o modo de ser da liberdade como consciência de ser; é na angústia que a liberdade está em seu ser colocando-se a si mesma em questão.

(...)

[...] nossa liberdade posterior, na medida em que não é nossa liberdade atual, mas sim o fundamento de possibilidades que ainda não somos, constitui como que uma opacidade em plena translucidez, algo como [...] 'o mistério em plena luz'. Daí nossa necessidade de esperar por nós mesmos.

(...)

O despertador que toca de manhã remete à possibilidade de ir ao trabalho, minha possibilidade. Mas captar o chamado do despertador é levantar-se. Assim, o ato de levantar da cama é tranquilizador, porque evita a pergunta: "Será que o trabalho é minha possibilidade?" — e, em consequência, não me deixa em condições de captar a possibilidade do quietismo, da recusa ao trabalho e, em última instância, da morte e da negação do mundo. [...] tal apreensão me protege contra a angustiante intuição de que sou eu — eu e mais ninguém — quem confere ao despertador seu poder de exigir meu despertar.

(...)

Descobrimo-nos, pois, em um mundo povoado de exigências, no seio de projetos 'em curso de realização': escrevo, vou fumar, tenho encontro com Pierre esta noite, não devo esquecer de responder a Simon, não tenho direito de esconder a verdade de Claud por mais tempo. Todas essas pequenas esperas passivas pelo real, todos esses valores banais e cotidianos tiram seu sentido, na verdade, de um projeto inicial meu, espécie de eleição que faço de mim mesmo no mundo. Mas, precisamente, esse projeto meu para uma possibilidade inicial, que faz com que haja valores, chamados, expectativas e, em geral, um mundo, só me aparece para-além do mundo, como sentido e significação abstratos de minhas empresas. No mais, há despertadores, formulários de impostos, agentes de polícia, ou seja, tantos e tantos parapeitos de proteção contra a angústia. Porém, basta que a empresa a realizar se distancie de mim e eu seja remetido a mim mesmo porque devo me aguardar no futuro, descubro-me de repente como aquele que dá ao despertador seu sentido, que se proíbe, a partir de um cartaz, de andar por um canteiro ou gramado, aquele que confere poder à ordem do chefe, decide sobre o interesse do livro que está escrevendo — enfim, aquele que faz com que existam os valores, cujas exigências irão determinar sua ação. Vou emergindo sozinho, e, na angústia frente ao projeto único e inicial que constitui meu próprio ser, todas as barreiras, todos os parapeitos desabam, nadificados pela consciência de minha liberdade; não tenho, nem posso ter, qualquer valor a recorrer contra o fato de que sou eu quem mantém os valores no ser; nada me protege de mim mesmo;

separado do mundo e de minha essência: eu decido sozinho, injustificável e sem desculpas.

E um trechinho de *A Idade da Razão*

[...] livre, livre, inteiramente, com a liberdade de ser um animal ou uma máquina, de aceitar, de recusar, de tergiversar, casar, dar o fora, arrastar-se durante anos com aquela cadeia aos pés. Podia fazer o que quisesse, ninguém tinha o direito de aconselhá-lo. Só haveria para ele Bem ou Mal se os inventasse. Em torno dele as coisas se haviam agrupado, aguardavam sem um sinal, sem a menor sugestão. Estava só em meio a um silêncio monstruoso, só e livre, sem auxílio nem desculpa, condenado a decidir-se sem apelo possível, condenado a ser livre para sempre.

Beleza

Tá tudo beleza!

Como definir o Belo? O que é Beleza, se quem ama o feio bonito lhe parece? Por que o que é bonito tem um tremendo efeito sobre nós? Por mais que o Belo faça parte da nossa vida e por mais que a gente vá atrás da Beleza — nossa própria, dos outros ou das coisas e objetos — é difícil dizer o que é Beleza. De modo geral, o Belo está ligado ao prazer que ele nos proporciona. Platão fala, pela boca de Sócrates, que o Belo é o mesmo que o Bem e que o Amor é amor pelo Belo, que aquele que possui o Bem possui a Felicidade. Hegel ensinou em suas palestras sobre a estética que o conteúdo da Beleza é uma questão de completa indiferença. Em outras palavras, o que é feio para você, pode ser bonito para mim. Schiller, Kant e Nietzsche foram outros filósofos que refletiram sobre o Belo e seu poder sobre nós. Nietzsche falava do "efeito da paisagem". Sabe quando você vê aquele pôr do sol maravilhoso numa praia deserta e bate um sentimento bom que faz tudo ter um sentido? Pois é, este é o tal efeito. Mas por que o Belo tem esse efeito sobre nós? Vamos ver o papo que alguns filósofos levaram sobre essa questão.

Hegel

Georg Friedrich Hegel nasceu em Stuttgart, Alemanha, em 1770; estudou filosofia na Universidade de Tübingen e foi professor nas universidades de Jena, entre 1801 e 1806; Heidelberg, entre 1816 e 1818; e Berlim, de 1818 a 1831, chegando a reitor desta última em 1829.

Hegel é uma das figuras de destaque do Idealismo Alemão, um movimento filosófico marcado por intensas discussões que se alastraram pela Prússia, no fim do século 18 e início do 19. De modo geral, o termo "idealismo" engloba diferentes correntes de pensamento que têm em comum a interpretação da realidade do mundo exterior ou material em termos do mundo interior, subjetivo ou espiritual.

Hegel, ainda no seminário de Tübingen, escreveu, juntamente com dois colegas que vieram a se tornar filósofos famosos, Friedrich Schelling e Friedrich Hölderlin, o que o trio chamou de "o mais antigo programa de sistema do idealismo alemão". Mais tarde, Hegel desenvolveu um sistema filosófico que denominou "Idealismo Absoluto", uma filosofia capaz de compreender discursivamente o absoluto.

Hegel morreu em 1830.

Trechos de *Introdução às Lições de Estética*
O livro Lições Sobre Estética, *publicado depois da morte de Hegel, em 1835, são o conjunto de palestras que ele deu na*

Universidade de Jena sobre este tema. Aqui, Hegel deixa claro que seu pensamento estético relaciona-se totalmente com a Filosofia da Arte.

Gosto é problema de cada um

O objeto e o conteúdo da beleza são questões de completa indiferença. Mesmo se falamos de uma diferença entre beleza e feiura em relação a animais, homens, localidades, ações ou caráteres, mas, segundo esse princípio, fica uma diferença que não pertence propriamente à arte, à qual não deixamos nada além de imitação pura e simples. Assim, a falta de um critério para as intermináveis formas da natureza nos deixa, no que diz respeito à escolha de objetos e sua beleza e feiura, com o mero gosto subjetivo sendo a palavra final; e esse gosto não será determinado por regras e não está aberto a disputas. E na verdade, se ao escolher objetos para representação, partimos do que as pessoas acham belo ou feio e, portanto, digno de representação artística, ou seja, para seu gosto, então todas as esferas de objetos naturais estão abertas para nós, e a nenhum deles falta admirador. Cá entre nós, por exemplo, pode não ser todo marido que acha sua esposa bonita, mas ele a achava antes de se casarem, com a exclusão de todos os outros também, e o fato de que o gosto subjetivo por essa beleza não tem regra fixa pode ser considerado uma coisa boa para ambas as partes. Se, finalmente, olharmos além de indivíduos e de seu gosto caprichoso para o gosto das nações, isso também é da maior variedade e contrariedade. Como muitas vezes ouvimos dizer que uma beleza europeia não agradaria um chinês, ou um hotentote, uma vez que o chinês tem inerentemente uma concepção totalmente diferente de beleza daquela do negro, e de um europeu, e assim por diante. Na verdade, se examinarmos as obras de arte desses povos não europeus, suas imagens de deuses, por exemplo, que brotaram de sua fantasia como sublimes e dignas de veneração, elas podem se apresentar a nós como os ídolos mais abomináveis, enquanto sua música pode soar em nossos ouvidos como o mais horripilante barulho; eles, por sua vez, irão considerar nossas esculturas, imagens e música, como sem sentido ou repulsivas.

(...) a beleza da arte é um dos meios que dissolvem e reduzem à unidade a oposição acima mencionada e a contradição entre o espírito abstratamente autoconcentrado e natureza — tanto a natureza dos fenômenos externos como a do sentimento interior e emoção subjetivos.

(...)

Para avaliar o belo é preciso um espírito cultivado; o homem sem instrução não tem como julgar o belo, pois esse julgamento exige validade universal. É verdade que o universal é, como tal, uma abstração; mas o que é absolutamente verdadeiro carrega em si a exigência e a característica da validade universal. Assim, o belo também deve ser reconhecido universalmente, apesar de que os simples conceitos do entendimento não sejam competentes para julgá-lo. O bom ou o certo, por exemplo, em ações individuais é subsumido sob conceitos universais, e a ação conta como boa se puder corresponder a esses conceitos. O belo, por outro lado, é invocar um prazer universal diretamente sem qualquer relação. Isto significa apenas que, ao considerar o belo, não temos conhecimento do conceito e da subsunção dele e que a separação entre o objeto individual e o conceito universal, que em outros lugares está presente no julgamento, é inadmissível aqui.

(...)

Na vida, porém, as características e toda a forma derivam o caráter de sua expressão a partir de dentro; afinal, os diferentes povos, classes etc., exibem em sua forma externa diferença de suas tendências e atividades espirituais. Em todos os aspectos, o externo, penetrado e provocado pelo espírito, já é idealizado em contraste com a natureza como tal: ora, aqui está o ponto mais significativo da questão sobre o natural e o ideal. Pois, por um lado, alguns sustentam que as formas naturais com as quais o espírito é envolvido já estão em sua aparência real — uma aparência não recriada pela arte —, tão perfeita, tão bela e tão excelente em si, que não pode haver ainda outra beleza que se evidencia como superior e, distinta do que está nos confrontando como ideal, já que a arte nem é capaz de alcançar completamente o que está na natureza. Por outro lado, há uma demanda que deve ser independentemente encontrada, para a arte, em contraste com a realidade, formas e representações de outro tipo e mais ideal.

(...)

Se o conteúdo perfeito tem sido revelado perfeitamente nas obras de arte, o **Espírito** avista para além dela e se afasta dessa objetividade retornando para dentro do seu conteúdo interno, expulsando-a. Este é o nosso tempo. Na verdade, podemos esperar que a arte possa se aperfeiçoar ainda mais, mas a sua forma deixou de ser a suprema manifestação do Espírito. Nós ainda podemos encontrar nas imagens dos deuses

☞ **O conceito de Espírito** tem uma enorme importância dentro do Idealismo alemão. Para Kant, o pai do Idealismo, o espírito não é uma substância separada da matéria. Hegel, por sua vez, constrói um sujeito mistificado que é o Espírito (espírito do povo na história nacional, espírito do mundo na história universal), este é um sujeito coletivo, mas não um sujeito concreto (a sociedade, a classe ou o Estado), uma abstração construída a partir das práticas humanas, que se apresenta acima destas.

ℹ️ *Retrato de Immanuel Kant, Johann Gottlieb Becker, 1768, óleo sobre tela.*

gregos a perfeição absoluta do estético, mas isso não muda nada, pois todavia nós já não nos ajoelhamos.

(...)

A arte deve revelar a verdade nas formas das imagens sensíveis. (...) o belo e a verdade são a mesma coisa.

(...)

A beleza natural é bela enquanto percebida por nós, isto é, por nossa consciência.

Platão

Trechos de *O Banquete*

No livro O Banquete, *Platão relaciona o Amor à Beleza. Para ele, quem ama ama o Belo. E é real. Afinal, para quem ama, até o feio parece bonito.*

Eu disse:

— Mulher estrangeira, você bem falou; mas, supondo que o amor seja como você diz, qual é o uso dele para os homens?

— Isso, Sócrates, replicou ela, tentarei revelar: já falei sobre sua natureza e nascimento; e você reconhece que o amor é pelo belo. Mas alguém dirá: pelo belo em que, Sócrates e Diótima? Ou melhor, deixe-me colocar a questão mais claramente, e pergunte: quando um homem ama o belo, o que ele deseja?

Eu respondi:

— Que o belo possa ser dele.

— Ainda assim, a resposta sugere outra pergunta: o que é dado pela posse da beleza?

— Ao que você pergunta, não tenho resposta pronta — respondi.

— Então — ela disse —, deixe-me colocar a palavra "bem" no lugar do "belo", e repita a pergunta mais uma vez: se aquele que ama ama o bem, então o que ele ama?

— A posse do bem — disse eu.

— E o que ganha aquele que possui o bem?

— Felicidade — respondi. — Há menos dificuldade em responder a essa pergunta.

(...)

Há uma certa idade em que a natureza humana deseja a procriação — procriação que deve ser realizada na beleza e não na deformidade; e essa procriação é a união do homem e da mulher e é uma coisa divina; pois a concepção e a geração são um princípio imortal na criatura mortal, e naquilo que é desarmonioso elas nunca podem se realizar. Mas a deformidade está sempre em desarmonia com o divino e com o belo harmonioso. A beleza, então, é o destino, ou deusa do parto que preside o nascimento e, portanto, ao aproximar-se da beleza, o poder da concepção é propício, difuso e benigno, gera e dá frutos: à vista da fealdade franze a testa, contrai-se e experimenta um sentimento de dor, afasta-se e fenece, e não sem uma pontada abstém-se de conceber. E esta é a razão pela qual, quando a hora da concepção chega, e a fértil natureza está plena, há uma vibração e êxtase provocados pela beleza, que traz alívio à dor da labuta.

(...)

Kant

Immanuel Kant (1724-1804) nasceu em Königsberg, atual Kaliningrado na Rússia, cidade onde passou toda a sua vida. É isso mesmo: o cara nunca saiu dessa cidade. O filósofo estudou, lecionou e chegou a ser reitor da Universidade de

Manual de Sobrevivência Filosófico

Königsberg. O excêntrico Kant vivia uma existência pacata, marcada pela pontualidade e pela ordem metódica que guiava suas atividades diárias. Era tão metódico e pontual, que os habitantes de Königsberg acertavam seus relógios pela hora do passeio diário de Kant.

O pensamento de Kant se divide em duas fases: a pré-crítica, que abrange o período de 1755 a 1780; e a crítica, a partir de 1781, iniciada com a publicação da *Crítica da razão pura*, sua obra principal. Sua filosofia, chamada de kantismo, deixou forte influência no pensamento ocidental.

Trechos de *Crítica da Faculdade de Julgar*

Crítica da Faculdade de Julgar é um dos três livros que Kant escreveu para responder às perguntas fundamentais da sua filosofia: o que podemos saber?, o que devemos fazer?, o que temos o direito de esperar? e o que é o homem? Nesse livro, publicado em 1790, Kant estabelece as bases para o juízo estético. Ele analisa, também, o juízo teleológico e busca o reconhecimento de um fim ou propósito que daria sentido à natureza. Para Kant, "a beleza é a forma da finalidade em um objeto, percebida, entretanto, separadamente da representação de um fim".

Definição de gosto

O gosto é a faculdade de compreender ou avaliar um objeto a partir do sentimento de prazer ou desprazer, sem nenhum interesse. Objeto desse prazer se denomina belo.

(...)

O belo é aquilo que se aprecia, que se julga universalmente sem nenhum conceito (...) O belo é aquilo que se conhece sem conceito como objeto de um prazer necessário.

(...)
O comprazimento que determina o juízo de gosto é independente de todo interesse. Chama-se interesse o comprazimento que ligamos à representação da existência de um objeto. Por isso, um tal interesse sempre envolve ao mesmo tempo referência à faculdade da apetição, quer como seu fundamento de determinação, quer como se vinculando necessariamente ao seu fundamento de determinação. Agora, se a questão é se algo é belo, então não se quer saber se a nós ou a qualquer um importa ou sequer possa importar algo da existência da coisa, e sim como a ajuizamos na simples contemplação (intuição ou reflexão). Se alguém me pergunta se acho belo o palácio que vejo ante mim, então posso na verdade dizer: não gosto desta espécie de coisas que são feitas simplesmente para embasbacar, ou, como aquele chefe iroquês, de que em Paris nada lhe agrada mais do que as tabernas; posso, além disso, em bom estilo rousseauniano, recriminar a vaidade dos grandes, que se servem do suor do povo para coisas tão supérfluas; finalmente, posso convencer-me facilmente de que, se me encontrasse em uma ilha inabitada, sem esperança de algum dia retornar aos homens, e se pelo meu simples desejo pudesse produzir por encanto um tal edifício suntuoso, nem por isso eu me daria uma vez sequer esse trabalho se já tivesse uma cabana que me fosse suficientemente cômoda. Pode-se me conceder e aprovar tudo isto; só que agora não se trata disso. Quer-se saber somente se esta simples representação do objeto em mim é acompanhada de comprazimento, por indiferente que sempre eu possa ser com respeito à existência do objeto dessa representação. Vê-se facilmente que se trata do que faço dessa representação em mim mesmo, não daquilo em que dependo da existência do objeto, para dizer que ele é belo e para provar que tenho

Manual de Sobrevivência Filosófico

gosto. Cada um tem de reconhecer que aquele juízo sobre beleza, ao qual se mescla o mínimo interesse, é muito faccioso e não é nenhum juízo-de-gosto puro. Não se tem que simpatizar minimamente com a existência da coisa, mas ser a esse respeito completamente indiferente para, em matéria de gosto, desempenhar o papel de juiz.

(...)

O comprazimento no bom está ligado ao interesse. Bom é o que apraz mediante a razão pelo simples conceito. Denominamos bom para (o útil) algo que apraz somente como meio; outra coisa, porém, que apraz por si mesma denominamos bom em si. Em ambos está contido o conceito de um fim, portanto a relação da razão ao (pelo menos possível) querer, consequentemente um comprazimento na existência de um objeto ou de uma ação, isto é, um interesse qualquer. Para considerar algo bom preciso saber sempre que tipo de coisa o objeto deva ser, isto é, ter um conceito do mesmo. Para encontrar nele beleza, não o necessito. Flores, desenhos livres, linhas entrelaçadas sem intenção sob o nome de folhagem, não significam nada, não dependem de nenhum conceito determinado e, contudo, aprazem. O comprazimento no belo tem que depender da reflexão sobre um objeto, que conduz a um conceito qualquer (sem determinar qual), e desta maneira distingue-se também do agradável, que assenta inteiramente na sensação. Na verdade, o agradável parece ser em muitos casos idêntico ao bom. Assim se dirá comumente: todo o deleite (nomeadamente o duradouro) é em si mesmo bom; o que aproximadamente significa; ser duradouramente agradável ou bom é o mesmo. Todavia pode-se notar logo que isto é simplesmente uma confusão falsificadora de palavras, já que os conceitos que propriamente são atribuídos a estas expressões de nenhum modo podem ser intercambiados. O agradável, visto que, como tal, representa o objeto meramente em referência ao sentido, precisa ser primeiro submetido pelo conceito de um fim a princípios da razão, para que se o denomine bom, como objeto da vontade. Mas que então se trata de uma referência inteiramente diversa ao comprazimento, se denomino o que deleite ao mesmo tempo bom, conclui-se do fato que em relação ao bom sempre se pergunta se é só mediatamente-bom ou imediatamente-bom (se é útil ou bom em si); enquanto em relação ao agradável, contrariamente, essa questão não pode ser posta, porque a palavra sempre significa algo que apraz imediatamente. (O mesmo se passa também com o que denomino belo.)

(...)

Comparação do belo com o agradável e o bom através da caraterística acima. Com respeito ao agradável, cada um resigna-se com o fato de que seu juízo, que ele funda sobre um sentimento privado e mediante o qual ele diz de um objeto que ele lhe apraz, limita-se também simplesmente à sua pessoa. Por isso, ele de bom grado contenta-se com o fato de que se ele diz "o vinho espumante das Canárias é agradável", um outro corrige-lhe a expressão e recorda-lhe que deve dizer "ele me é agradável"; e assim não somente no gosto da língua, do céu da boca e da garganta, mas também no que possa ser agradável aos olhos e ouvidos de cada um. Pois a um a cor violeta é suave e amena, a outra morta e fenecida. Um ama o som dos instrumentos de sopro, outro o dos instrumentos de corda. Altercar sobre isso, com o objetivo de censurar como incorreto o juízo de outros, que é diverso do nosso, como se fosse logicamente oposto a este, seria tolice; portanto, acerca do agradável vale o princípio: cada um tem seu próprio gosto (dos sentidos). Com o belo passa-se de

Manual de Sobrevivência Filosófico

modo totalmente diverso. Seria (precisamente ao contrário) ridículo que alguém que se gabasse de seu gosto pensasse justificar-se com isto: este objeto (o edifício que vemos, o traje que aquele veste, o conceito que ouvimos, o poema que é apresentado ao ajuizamento) é para mim belo. Pois ele não tem que denominá-lo belo se apraz meramente a ele. Muita coisa pode ter atrativo e agrado para ele, com isso ninguém se preocupa; se ele, porém, toma algo por belo, então atribui a outros precisamente o mesmo comprazimento: ele não julga simplesmente por si, mas por qualquer um e neste caso fala da beleza como se ela fosse uma propriedade das coisas. Por isso ele diz: a coisa é bela e não conta com o acordo unânime de outros em seu juízo de comprazimento porque ele a tenha considerado mais vezes em acordo com o seu juízo, mas a exige deles. Ele censura-os se julgam diversamente e nega-lhe o gosto, todavia pretendendo que eles devam possuí-lo; e nesta medida não se pode dizer: cada um possui seu gosto particular. Isto equivaleria a dizer: não existe absolutamente gosto algum, isto é, um juízo estético que pudesse legitimamente reivindicar o assentimento de qualquer um.

Schiller

Friedrich Schiller é um dos grandes nomes do Romantismo alemão. Filho de um cirurgião militar, ele mesmo acabou seguindo, meio a contragosto, a profissão do pai. Na verdade, foi o duque de Württemberg que exigiu que ele estudasse medicina para servir em seu exército. Só que ele gostava mesmo era de ler Plutarco, Goethe, Shakespeare e outras feras. Mas Schiller só exerceu a profissão por um ano. Fugiu do duque e resolveu ser escritor, passando a viver na clandestinidade. Nessa época, escreveu algumas peças de sucesso, mas

acabou ficando doente e perdeu contratos importantes. Em 1787, quando tinha 28 anos, Schiller se mudou para Weimar, cidade onde vivia Goethe, e os dois escritores ficaram amigos. Goethe até indicou Schiller para uma cadeira de História na Universidade de Jena, o que deu uma melhorada na sua situação financeira. Só que a saúde de Schiller era frágil, e ele precisou parar de dar aula por causa de uma doença pulmonar séria que o levou à morte, em 1804, com apenas 45 anos.

Teoria da Tragédia

Em suas especulações sobre estética, Schiller escreveu sobre o trágico na arte, especialmente sobre as tragédias gregas. Nesses escritos, ele vai fundo em algumas ideias kantianas e, mais especificamente, a ideia do Sublime. Kant começou a se interessar por estética em torno de 1764, quando aparece seu texto Observações sobre os sentidos do belo e grandioso. *Aqui, Kant analisa a diferença entre Belo e Sublime.*

Tanto o sentimento de Belo como o de Sublime causam prazer, mas de jeitos diferentes. O Sublime inspira medo; a Beleza, alegria. As ações sublimes inspiram respeito; o Belo, amor. O Sublime perturba; o Belo atrai. O sentimento de sublime pode ser provocado pela visão de uma montanha coberta de neve que se ergue acima das nuvens, ou pela visão de uma tempestade; o sentimento de Belo, por sua vez, tem a ver com campos cobertos de flores, vales cortados pelos riachos, a descrição do paraíso, enfim. A noite é Sublime; o dia, Belo. Schiller parte daqui nas suas reflexões sobre a estética.

Sublime é como chamamos a um objeto cuja representação leva a nossa natureza sensível a sentir os seus limites, levando, porém, a nossa natureza racional a sentir a sua superioridade, a sua liberdade em relação a limites: perante o qual, portanto, ficamos fisicamente a perder, mas acima do qual nos elevamos moralmente, isto é, através de ideias.

(...)

O sublime nos fornece uma saída do mundo sensível, no qual o belo gostaria de manter-nos presos para sempre. Não paulatinamente (pois não existe transição alguma da dependência para a liberdade), mas repentinamente e por meio de um abalo, ele arranca o espírito independente à rede na qual o envolveu delicada sensibilidade que prende tanto mais firmemente quanto mais transparente a tenha fiado. Embora ela (a sensibilidade), através de imperceptíveis influências de um gosto debilitado, tenha enorme ascendência sobre o homem e tenha conseguido penetrar, sob o sedutor invólucro do belo espiritual, até a mais recôndita morada da legislação moral, para aí envenenar na sua fonte a santidade das máximas, ainda assim basta com frequência uma única emoção sublime para rasgar essa teia de embuste, devolvendo ao espírito agrilhoado, de uma só vez, toda a sua força elástica, trazendo-lhe a revelação sobre a sua verdadeira destinação e impondo-lhe, ao menos por um momento, o sentimento da sua dignidade.

(...)

Trechos das *Cartas*

Estas cartas são sobre a educação estética do Homem, como Schiller a concebia. Vejamos...

Mas a gênese da beleza não é de modo algum declarada, porque sabemos como apontar as partes componentes, que em sua combinação produzem beleza. Pois, para esse fim, seria necessário compreender essa combinação em

HEGEL • PLATÃO • KANT • SCHILLER  *Beleza*

si, que continua a desafiar nossa exploração, bem como toda operação mútua entre o finito e o infinito. A razão, em bases transcendentais, faz a seguinte exigência: deverá haver uma comunhão entre o impulso formal e o impulso material — isto é, haverá um instinto de brincadeira — porque é somente a unidade da realidade com a forma, do acidental com o necessário, do estado passivo com a liberdade, que a concepção de humanidade está completa. A razão é obrigada a fazer essa exigência, porque sua natureza a impele à perfeição e à remoção de todos os limites; enquanto toda atividade exclusiva de um ou outro impulso deixa a natureza humana incompleta e a limita. Assim, tão logo a razão emita o mandato, "uma humanidade existirá", proclama ao mesmo tempo a lei "haverá uma beleza". A experiência pode nos responder se houver uma beleza, e nós a conheceremos assim que ela nos ensinar se uma humanidade pode existir. Mas nem a razão nem a experiência podem nos dizer como a beleza pode existir e como a humanidade é possível. Sabemos que o homem não é exclusivamente matéria nem exclusivamente espírito. Consequentemente, a beleza, como a consumação da humanidade, não pode ser exclusivamente mera vida, como tem sido afirmado por observadores perspicazes, que se basearam demasiadamente no testemunho da experiência, e ao qual o gosto da época degrada com prazer; a beleza também não pode ser meramente forma, como foi julgado por sofistas especulativos, que se afastaram demais da experiência, e por artistas filosóficos, que foram levados demais pela necessidade da arte de explicar a beleza; é antes o objeto comum de ambos os impulsos, isto é, do instinto de brincar.

(...)

A beleza presente de fato é digna do verdadeiro, do realmente presente impulso para o jogo; mas pelo ideal de

👉 **Alguns filósofos afirmam que a contemplação** da beleza sensibiliza a pessoa, de modo que o belo estético leva à ética. Isto é, à beleza de uma ação cheia de excelência. Então, pra esses pensadores, há uma relação direta entre o estético e o ético. Pra eles, é a beleza estética que acaba inspirando o comportamento ético.

ℹ️ *O nascimento de Vênus, Sandro Botticelli, 1482/85, têmpera no quadro.*

beleza, que é estabelecido pela razão, um ideal do instinto do jogo também está presente, o qual o homem deveria ter diante de seus olhos em todas as suas brincadeiras. Portanto, não incorremos em erro se buscarmos o ideal de beleza no mesmo caminho em que satisfazemos nosso impulso pela brincadeira. Podemos entender imediatamente por que a forma ideal de uma Vênus, de uma Juno e de um Apolo não deve ser buscada em Roma, mas na Grécia, se contrastarmos a população grega, deliciando-nos com as competições atléticas e sem sangue do boxe e a rivalidade intelectual em Olímpia, com o povo romano se regozijando com a agonia do gladiador. Ora, a razão afirma que o belo não deve ser apenas vida e forma, mas forma viva, isto é, beleza, na medida em que dita ao homem a dupla lei da formalidade da realidade absolutas. A razão também expressa a decisão de que o homem só deve brincar com a beleza, e ele deve apenas brincar com a beleza.

(...)

Pela beleza, o homem sensual é levado à forma e ao pensamento; pela beleza, o homem espiritual é trazido de volta à matéria e restaurado ao **mundo dos sentidos**. A partir dessa afirmação, segue-se que entre matéria e forma, entre passividade e atividade, deve haver um estado intermediário e que a beleza nos coloca nesse estado. Acontece, na verdade, que a maior parte da humanidade realmente forma essa concepção de beleza assim que começa a refletir sobre suas

operações, e toda a experiência parece apontar para essa conclusão. Mas, por outro lado, nada é mais injustificável e contraditório do que tal concepção, porque a aversão da matéria e da forma, do passivo e do ativo, do sentimento e do pensamento, é eterna e não pode ser mediada de nenhuma maneira. Como podemos resolver essa contradição? A beleza combina as duas condições opostas de sentir e pensar e ainda assim não há absolutamente nenhum meio-termo entre elas. O primeiro é demonstrado pela experiência e o outro, pela razão. Este é o ponto para o qual toda a questão da beleza nos leva, e se conseguirmos estabelecer esse ponto de maneira satisfatória, teremos finalmente encontrado a pista que nos conduzirá através do labirinto da estética.

(...)

Todas as disputas que sempre prevaleceram e ainda prevalecem no mundo filosófico, a respeito da concepção de beleza, não têm outra origem senão a de começar sem uma distinção suficientemente estrita, ou que não seja levada a cabo plenamente para promover uma união pura. Os filósofos que seguem cegamente seus sentimentos ao refletir sobre esse assunto não conseguem obter outra concepção de beleza, porque não distinguem nada separado na totalidade da impressão sensual. Outros filósofos, que tomam o entendimento como seu guia exclusivo, nunca obterão uma concepção de beleza, porque nunca veem mais nada no todo do que as partes, e o espírito e a matéria permanecem eternamente separados, mesmo em sua mais perfeita unidade. O primeiro teme suprimir a beleza dinamicamente, isto é, como poder operante, se é preciso separar o que está unido no sentimento. Os outros temem suprimir a beleza logicamente, isto é, enquanto concepção, quando têm que manter juntos aquilo que no entendimento é separado.

Desejo

Ah, o desejo, esse troço que move o mundo

Quem não deseja? Qual é seu maior desejo? E qual é o seu desejo secreto? Se você libertasse um gênio da lâmpada, quais seriam seus três desejos?

É o desejo que move as pessoas, que move o mundo, que faz girar a roda da história. Mas se o desejo é a maior motivação para alguém realizar alguma coisa, também pode ser o caminho para o mal. Sócrates dizia que todos desejam o bem, mas, sem saber o que é mesmo o bem, acabam se dando mal. Epicuro, que passou a vida tentando achar um jeito de conquistar a felicidade, dizia que a gente deve desejar somente o necessário. Para ele, o extraordinário era demais. Epiteto, outro pensador que queria descobrir a fórmula para a felicidade, pensava de um jeito parecido; e Schopenhauer achava mesmo que o melhor era se retirar para não sofrer — tipo, adotar a vida do eremita, coisa que ele propôs mas não fez. O desejo tem muito a ver, como você pode perceber, com a felicidade. Se liga no que alguns dos maiores pensadores que escreveram sobre o desejo e o desejar têm a dizer.

Epicuro de Samos

Epicuro (341-247 a.C.) é o filósofo da busca da felicidade. E como todo mundo só quer felicidade, sua doutrina foi muito influente — e também muito criticada. Para Epicuro, a felicidade é atingida por meio do prazer. Daí as críticas, porque os mal-informados diziam que os epicuristas se perdiam em vícios. Mas o prazer que Epicuro buscava não era um prazer qualquer. Era um prazer e estado que os gregos chamavam de "aponia", isto é, a ausência de dor física, e pela "ataraxia", ou imperturbabilidade da alma.

A dor sempre se interpõe no caminho da busca da felicidade. Nem sempre é possível evitar as dores físicas, mas lembra Epicuro, elas não duram a vida toda e podem ser suportadas com as lembranças de bons momentos que a pessoa tenha vivido. Piores e mais difíceis de lidar são as dores que perturbam a alma — associadas às frustrações, em geral vindas de um desejo não satisfeito —, que podem continuar a fazer sofrer mesmo muito tempo depois de terem sido despertadas pela primeira vez.

Para Epicuro, o maior prazer é a saúde. Depois, vem a amizade. Por isso, o convívio entre os estudiosos de sua doutrina era tão importante a ponto de viverem em uma comunidade, o "Jardim". Ali, os amigos poderiam se dedicar à filosofia, cuja função principal é libertar o homem para uma vida melhor.

LUCRÉCIO • ESPINOSA • SCHOPENHAUER • EPITETO • KIERKEGAARD   *Desejo*

Trecho da *Carta a Meneceu*

A Carta a Meneceu *é um texto bem legal, porque nele Epicuro dá instruções sobre o que fazer para que a gente tenha uma vida feliz.*

Consideremos também que, dentre os desejos, há os que são naturais e os que são inúteis; dentre os naturais, há uns que são necessários e outros, apenas naturais; dentre os necessários, há alguns que são fundamentais para a felicidade, outros, para o bem-estar corporal, outros, ainda, para a própria vida. E o conhecimento seguro dos desejos leva a direcionar toda escolha e toda recusa para a saúde do corpo e para a serenidade do espírito, visto que esta é a finalidade da vida feliz: em razão desse fim praticamos todas as nossas ações, para nos afastarmos da dor e do medo. Uma vez que tenhamos atingido esse estado, toda a tempestade da alma se aplaca, e o ser vivo, não tendo que ir em busca de algo que lhe falta, nem procurar outra coisa a não ser o bem da alma e do corpo, estará satisfeito. De fato, só sentimos necessidade do prazer quando sofremos sua ausência; ao contrário, quando não sofremos, essa necessidade não se faz sentir.

Nietzsche

Friedrich Nietzsche foi um dos pensadores mais originais do século 19 e um dos que mais influenciaram o pensamento contemporâneo, principalmente na Alemanha e na França. Nietzsche dizia que filosofava com o martelo. Na real, ele marretou as bases do pensamento ocidental, martelou a ética cristã, malhou o cristianismo pra caramba e não tinha a menor paciência pra mimimi filosófico. Em lugar disso, ele propôs uma filosofia de "afirmação da vida", que questiona e recusa qualquer doutrina que drene a expansão das nossas energias.

Mas Nietzsche não era filósofo de formação. Ele estudou nas Universidades de Bonn e Leipzig, tornando-se, em 1868, professor de filologia grega na Universidade de Basileia (Suíça). Em 1879, depois de ter um colapso nervoso, retirou-se da vida acadêmica e fez uma série de viagens pela Suíça, Itália e França. O cara padecia de dores de cabeça fortíssimas e mal aguentava a luminosidade. Viajava para lugares sossegados, onde podia se sustentar com sua magra pensão de professor aposentado por invalidez. Em 1889, sofreu uma crise de loucura da qual não se recuperou até a morte.

A filosofia de Nietzsche não segue um sistema e é fragmentária, porque seu pensamento se desenvolveu em um sentido mais poético e crítico do que teórico e doutrinário. Ele até é chamado de "filósofo poeta" por causa do seu estilo. Nesses textos cáusticos ele detona os valores tradicionais e decadentes da cultura ocidental, o conservadorismo, a estreiteza da visão de mundo burguesa, o cristianismo. Tudo isso, para ele, estabelece uma forma de vida contrária à criatividade e à espontaneidade da natureza humana. Castra, enfim, nossa humanidade.

Trecho de *Considerações Extemporâneas*

Neste texto, Nietzsche alerta contra aquilo que chamou de "caráter perigoso" da ciência, que vai produzir um trabalhador e um ser humano impessoal e sem autonomia. Hum... onde será que eu vi isso antes? Ah, aqui, na megacientífica pós-modernidade!

O juízo dos antigos filósofos gregos sobre o valor da existência diz tão mais do que um juízo moderno, porque eles

LUCRÉCIO • ESPINOSA • SCHOPENHAUER • EPITETO • KIERKEGAARD   *Desejo*

tinham diante de si e em torno de si a vida mesma em uma exuberante perfeição e porque neles o sentimento do pensador não se confunde, como entre nós, no dilema entre o desejo de liberdade, beleza e grandeza da vida e o impulso à verdade, que pergunta somente: o que vale em geral a existência? Permanece importante para todos os tempos saber o que **Empédocles**, em meio ao mais vigoroso e ao mais efusivo prazer de viver da cultura grega, enunciou sobre a existência; seu juízo pesa muito, tanto que nem um único juízo em contrário, de algum outro grande filósofo do mesmo grande tempo, o contradiz. Ele apenas fala com clareza maior, mas no fundo — ou seja, para quem abre um pouco os ouvidos — todos eles dizem o mesmo. Um pensador moderno, como foi dito, sempre sofrerá de um desejo não cumprido: exigirá que antes lhe mostrem outra vez vida, vida verdadeira, vermelha, sadia, para que ele então emita sua sentença sobre ela. Pelo menos para si mesmo, ele considerará necessário ser um homem vivo, antes de poder acreditar que pode ser um juiz justo. Aqui está o fundamento pelo qual os filósofos modernos estão precisamente entre os mais poderosos fomentadores da vida, da vontade de vida, e aspiram sair de seu próprio tempo extenuado em direção a uma civilização, a uma physis transfigurada. Essa aspiração, entretanto, é também seu perigo: neles combatem o reformador da vida e o filósofo, isto é: o juiz da vida. Seja qual for o lado para o qual se incline a vitória, é sempre uma vitória que encerrará em si uma perda.

👉 **Empédocles (490 - 435 a.C.) foi um filósofo pré-socrático** que viveu na Sicília. Mas, se você não se lembra desse cara, certamente conhece sua principal e mais influente teoria. Empédocles escreveu um livro chamado *Sobre a Natureza*, onde afirma que toda a matéria é formada por quatro elementos: terra, água, ar e fogo. Essa ideia influenciou o pensamento e a ciência ocidentais até a metade do século 18.

ⓘ *Empédocles, Friedrich Beer, 1875, estátua de pedra.*

Manual de Sobrevivência Filosófico   EPICURO DE SAMOS • NIETZSCHE

Lucrécio

Tito Lucrécio Caro foi um poeta romano que viveu entre 99 e 55 a.C. Lucrécio foi o maior divulgador da filosofia epicurista, por meio do seu poema *Da Natureza das Coisas*. Pouco se sabe sobre a vida dele, mas a época em que viveu foi sinistra. Muito sinistra. Foi o colapso da república romana, que abriu caminho para a fundação do Império. Rolaram guerras contra escravos, gladiadores e piratas, além de chacinas provocadas por líderes no Senado. Inquietação por todos os lados. No meio desse desespero todo, Lucrécio achou refúgio na filosofia de Epicuro e se tornou um dos seus maiores divulgadores. Como Epicuro, a busca por prazer e felicidade de Lucrécio não era carnal. Tudo o que ele quer é saúde e tranquilidade. Nem amor Lucrécio quer. Se batesse aquela vontade forte de transar, ele recomendava ir procurar a "Vênus vagabunda". Isto mesmo: as profissionais do sexo (que em Roma, quase sempre, eram tristes escravas obrigadas a se vender para o lucro do seu dono). Para Lucrécio, o desejo é o que move todas as pessoas, a cenoura balançando na ponta da vara, colocada na nossa cara.

Trechos de *Da natureza das coisas*

Este livro é um dos melhores exemplos da filosofia epicurista. Na real, Lucrécio tentou colocar todo o pensamento de Epicuro num poema.

(...)
Com o que avançamos para onde o desejo
Conduz todo homem, e por ele nos desviamos
Em impulsos, não como se fosse em tempo fixo,
Nem em algum trecho fixo de espaço, mas onde
A própria mente pediu? Porque, sem dúvida,

LUCRÉCIO • ESPINOSA • SCHOPENHAUER • EPITETO • KIERKEGAARD **Desejo**

Nestes casos, é a própria vontade de cada homem
Que dá o início e, portanto, em todos os nossos membros
impulsos incipientes se espalham. Novamente,
Não vês, quando, em algum momento,
As barreiras estão abertas, como a força ansiosa
Dos cavalos não pode avançar a não ser quando
Sua mente deseja isso ardentemente? Por isso mesmo
Que toda a matéria, através da estrutura,
É despertada, para que, através de cada articulação,
Excitada, pressione e siga o desejo da mente;
Então, assim, tu vês o movimento inicial gerado
De fora do coração, sim, em verdade, procede
Primeiro da vontade do espírito, donde no final
Espelha-se através das juntas e do corpo inteiro.
De outra forma, quando avançamos,
Impelidos pelo golpe dos potentes poderes de outro
E de seu forte desejo; pois então está claro o suficiente
Toda a matéria do nosso corpo vai,
Depressa, contra o nosso próprio desejo
Até que a vontade tenha puxado as rédeas
E ativado de novo, em todos os nossos membros;
Em cujo arbitramento, de fato, às vezes
O volume de matéria é forçado a mudar seu caminho,
Em todos os nossos membros e em todas as nossas articulações,
E, depois de ter sido lançado, ser
Controlado, acalmando-se novamente.
Então, não vês, como, embora a força externa
Conduza os homens e os faz mover
Avante e de modo precipitado contra o desejo,
Ainda há algo neste nosso peito
Forte o bastante para combater, forte o bastante para suportar?

Espinosa

Entre 1650 e 1750 ninguém chegou a rivalizar nem de perto a notoriedade de Espinosa como o principal crítico dos fundamentos da religião revelada, ideias herdadas, tradição e moral. Espinosa era então considerado em todos os lugares como autoridade política divinamente constituída. Verdadeiro iconoclasta do conservadorismo europeu, o cara detonou tudo.

Por causa disso, Espinosa inspirou um jeito novo de pensar o homem, a cosmologia, a política, a hierarquia social, a sexualidade e a ética, o que acabou resultando na visão moderna do mundo.

A afirmação de que a natureza automovimenta e cria a si mesma se tornou a marca registrada dos espinosistas. A visão que Espinosa introduziu sobre Deus também foi radical. O filósofo entendia que tudo o que existe pertence à única substância, que é Deus. Assim, "Deus é, em relação aos seus efeitos ou criaturas, nada além do que a causa imanente". Sobre isso, Albert Einstein afirmou que o cientista moderno que rejeita a divina providência e um Deus que governa os destinos da humanidade, ao mesmo tempo em que aceita "a ordenada harmonia existente", isto é, a inteligibilidade de um universo iminente baseado em princípios matemáticos, acredita, realmente, "no Deus de Espinosa".

Esse "Deus de Espinosa", como Einstein se referiu, chocou (e em muitos casos continua a chocar) incrivelmente os europeus a partir do fim do século 17, quando a ideia foi divulgada. O Deus de Espinosa, conforme ele mesmo descreveu, é "a causa interna de todas as coisas, mas não como a causa que as excede". Não se trata, portanto, de um Deus pessoal, que determina que Fulano ou Sicrano tenha direitos de governo sobre os outros homens e mulheres, nem que

LUCRÉCIO • ESPINOSA • SCHOPENHAUER • EPITETO • KIERKEGAARD **Desejo**

precisa de representantes terrenos, isto é, as igrejas e seus clérigos, para fazer valer Sua vontade. A conclusão é a de que todos os homens e mulheres são iguais e de que ninguém ou nenhuma instituição recebeu o direito divino de governar.

Por causa da revolução que suas ideias implicavam, durante sua existência e por muito tempo depois, Espinosa foi xingado e ganhou fama de maldito. Foi considerado herege, ateu e chamado até mesmo de "diabo" ou "monstro atroz". A importante obra que escreveu, o *Tractatus theologico-politicus*, publicado em 1670, foi proibida logo depois do seu lançamento. Mas o brilho de sua mente privilegiada não se ofuscou diante dos homens do seu tempo, tão envoltos em superstições medievais e tão temerosos de assumirem seus próprios destinos para não desagradar a "Deus". Buscando justificar a maneira como o viam, Espinosa escreveu: "quem quer que se esforce para compreender cientificamente as coisas da natureza, em vez de limitar-se a se maravilhar (diante dela) como um mentecapto, será considerado em toda parte um herege e ateu".

Trechos de *Ética*

Este livro é considerado o principal do genial Espinosa. Aqui ele usa o método geométrico para expor e chegar às suas conclusões de forma precisa. Ética é dividida em cinco partes: sobre Deus, a mente, as paixões, a escravização do homem em relação a estas e a possibilidade da sua libertação delas. Apesar de controverso, esse texto influenciou muitos filósofos desde o seu lançamento, em 1677.

(...) entre apetite e desejo não há nenhuma diferença, excetuando-se que, comumente, refere-se o desejo aos homens à medida que estão conscientes de seu apetite. Pode-se fornecer, assim, a seguinte definição: o desejo é o apetite juntamente com a consciência que dele se tem. Torna-se, assim, evidente, por tudo isso, que não é por julgarmos uma coisa boa que nos esforçamos por ela, que a queremos, que a apetecemos, que a desejamos, mas, ao contrário, é por nos esforçarmos por ela, por querê-la, por desejá-la, que a julgamos boa.

(...)

Proposição 2

(...) muitos acreditam que somos apenas livres em relação aos objetos que desejamos com moderação, porque o nosso desejo por tais objetos pode ser facilmente controlado pelo pensamento de algo frequentemente lembrado, mas não somos livres em relação ao que buscamos movidos por emoção violenta, pois o nosso desejo não pode ser dissipado pela lembrança de qualquer outra coisa. No entanto, a menos que essas pessoas tenham provado por experiência que fazemos muitas coisas das quais nos arrependemos depois, e as repetimos muitas vezes, quando assaltados por emoções contrárias, enxergamos o melhor e seguimos o pior, não haveria nada que não os levasse a acreditar que somos livres em todas as coisas. Assim, a criança acredita que, por vontade própria, deseja leite, a criança irada acredita que quer vingança, uma criança tímida crê desejar fugir livremente; o homem embriagado acredita que profere palavras escolhidas livremente por sua mente, palavras que, se estivesse sóbrio, teria preferido evitar: do mesmo modo, um homem

delirante, uma mulher tagarela, uma criança e outros acreditam que o que falam é livre escolha da sua mente, quando, na realidade, são incapazes de restringir seu impulso de falar. A experiência nos ensina claramente tanto quanto a razão que os homens se julgam livres simplesmente porque são conscientes de suas ações e inconscientes das causas pelas quais essas ações são determinadas; e, além disso, é claro que os ditames da mente são apenas outro nome para os apetites e, portanto, variam de acordo com o estado variável do corpo.
(...)

Proposição 37

O desejo que surge em razão da tristeza ou da alegria, do ódio ou do amor, é tanto maior quanto maior é o afeto.

Demonstração. A tristeza diminui ou refreia a potência de agir do homem (pelo esc. da prop. 11), isto é (pela prop. 7), o esforço pelo qual o homem se esforça por perseverar em seu ser. Portanto (pela prop. 5), ela é contrária a esse esforço; e tudo pelo qual se esforça o homem afetado de tristeza é por afastá-la. Ora (pela def. de tristeza), quanto maior é a tristeza, tanto maior deve ser a parcela de potência de agir do homem que ela contraria. Portanto, quanto maior for a tristeza, tanto maior será a potência de agir com a qual o homem se esforçará por afastar a tristeza, isto é (pelo esc. da prop. 9), tanto maior será o desejo ou o apetite com que se esforçará por afastar a tristeza. Além disso, uma vez que a alegria (pelo mesmo esc. da prop. 11) aumenta ou estimula a potência de agir do homem, facilmente se demonstra, pelo mesmo procedimento, que o homem afetado de alegria nada mais deseja do que conservá-la, com um desejo tanto maior, quanto maior for a alegria. Finalmente, uma vez que o ódio e o amor são os próprios afetos da tristeza ou da alegria, segue-se, da mesma maneira, que o esforço, o apetite ou o desejo que provém do ódio ou do amor será diretamente proporcional a esse ódio ou a esse amor. C.Q.D.

Proposição 56

(...) Quanto ao desejo, ele é a própria essência ou natureza de cada um, à medida que é concebida como determinada, em virtude de algum estado preciso de cada um, a realizar algo (veja-se o esc. da prop. 9). Portanto, dependendo de como cada um, em virtude de causas exteriores, é afetado desta ou daquela espécie de alegria, de tristeza, de amor, de ódio etc., isto é, dependendo de qual é o estado de sua natureza, se este ou aquele, também o seu desejo será este ou aquele. E a natureza de um desejo diferirá necessariamente da natureza de um outro, tanto quanto diferirem entre si os afetos dos quais cada um deles provém. Existem, assim, tantas espécies de desejo quantas são as espécies de alegria, de tristeza, de amor etc., e, consequentemente (pelo que foi agora demonstrado), quantas são as espécies de objetos pelos quais somos afetados. C.Q.D.

Proposição 57

(...) Todos os afetos estão relacionados ao desejo, à alegria ou à tristeza, como mostram as definições que deles foram dadas. Ora, o desejo é a própria natureza ou essência de cada um (veja-se a sua def. no esc. da prop. 9). Portanto, o desejo de um indivíduo discrepa do desejo de um outro, tanto quanto a natureza ou a essência de um difere da essência do outro.

Além disso, a alegria e a tristeza são paixões pelas quais a potência de cada um — ou seja, seu esforço por perseverar no seu ser — é aumentada ou diminuída, estimulada ou refreada (pela prop. 11 e seu esc.). Ora, por esforço por perseverar em seu ser, enquanto esse esforço está referido ao mesmo tempo à mente e ao corpo, compreendemos o apetite e o desejo (veja-se o esc. da prop. 9). Portanto, a alegria e a tristeza são o próprio desejo ou o apetite, enquanto ele é aumentado ou diminuído, estimulado ou refreado por causas exteriores, isto é (pelo mesmo esc.), é a própria natureza de cada um. Logo, a alegria ou a tristeza de um discrepa da alegria ou da tristeza de outro tanto quanto a natureza ou a essência de um difere da essência do outro e, consequentemente, um afeto qualquer de um indivíduo discrepa do afeto de um outro etc. C.Q.D.

Proposição 59

Entre todos os afetos que estão relacionados à mente à medida que ela age, não há nenhum que não esteja relacionado à alegria ou ao desejo.

Demonstração. Todos os afetos estão relacionados ao desejo, à alegria ou à tristeza, como mostram as definições que deles fornecemos. Ora, por tristeza compreendemos o que diminui ou refreia a potência de pensar (pela prop. 11 e seu esc.). Portanto, à medida que a mente se entristece, sua potência de pensar é diminuída ou refreada (pela prop. 1). Logo, nenhum afeto de tristeza pode estar relacionado à mente à medida que ela age, mas apenas afetos de alegria e de desejo, os quais (pela prop. Prec.), à medida que ela age, relacionam-se também à mente. C. Q. D. Escólio. Remeto todas as ações que se seguem dos afetos que estão relacionados à mente à medida que ela compreende, à fortaleza, que divido em firmeza e generosidade. Por firmeza compreendo o desejo pelo qual cada um se esforça por conservar seu ser, pelo exclusivo ditame da razão. Por generosidade, por sua vez, compreendo o desejo pelo qual cada um se esforça, pelo exclusivo ditame da razão, por ajudar os outros homens e para unir-se a eles pela amizade. Remeto, assim, à firmeza aquelas ações que têm por objetivo a exclusiva vantagem do agente, e à generosidade aquelas que têm por objetivo também a vantagem de um outro. Assim, a temperança, a sobriedade, e a coragem diante do perigo etc. são espécies de firmeza, enquanto a modéstia, a clemência etc. são espécies de generosidade. Creio, com isso, ter explicado e mostrado, por suas causas primeiras, os principais afetos e as principais flutuações de ânimo que derivam da composição dos três afetos primitivos, a saber, o desejo, a alegria e a tristeza.

LUCRÉCIO • ESPINOSA • **SCHOPENHAUER** • EPITETO • KIERKEGAARD *Desejo*

Schopenhauer

Fortemente influenciado por Kant, Arthur Schopenhauer (1788-1860) desenvolveu uma filosofia pessoal, considerada pessimista e ascética. Combateu o hegelianismo, então dominante, e sua oposição ao meio acadêmico na Alemanha fez com que seu pensamento tivesse relativamente pouca repercussão, alcançando notoriedade apenas no fim de sua vida.

Dizem as más línguas que o sujeito era tão chato, que até a sua mãe, a então renomada escritora Johanna Schopenhauer — a primeira autora de língua alemã a publicar sem usar pseudônimo masculino —, reclamava do filho.

Polêmico e ciente de seu valor, causou com Hegel uma grande rivalidade, falando aos quatro ventos que considerava a filosofia de Hegel da pior qualidade. O cara era tão azucrinante, que marcava suas palestras no mesmo dia e hora que as de Hegel e enfurecia-se porque as pessoas preferiam, quase sempre, ir ouvir o professor Hegel. Mas Schopenhauer dizia que isso acontecia porque os alunos não tinham discernimento. Em outras palavras estava dizendo que eram burros.

Schopenhauer foi um dos primeiros pensadores ocidentais influenciados pela filosofia oriental, especialmente o hinduísmo e o budismo. Diversos conceitos dessas filosofias foram importantes na formação do pensamento de Schopenhauer, que adiciona essencialmente de Kant, mas também Platão, à sua receita filosófica.

Sua obra mais importante é *O mundo como vontade e representação*, publicado em 1818. Seus aforismos, publicados sob o título de *Parerga und paralipomena*, "Acessórios e restos", em 1851, foram muito populares em sua época.

⌕ **Schopenhauer é considerado um filósofo pessimista**, e eis aqui um bom exemplo. Enquanto para Espinosa o desejo é o que nos move este impulso, para Schopenhauer, gera sofrimento. Nietzsche também discorda dele. Pra Nietzsche, mesmo um desejo não realizado, que leva ao sofrimento, pode ser positivo, afinal, o que não nos mata nos torna mais fortes...

❶ *Retrato de Schopenhauer, Jacob Seib, 1852, fotografia.*

Trechos de *O Mundo Como Vontade e Como Representação*

O mundo como vontade e representação, *publicado em 1818, é o livro mais importante de Schopenhauer, onde ele desenvolve as principais ideias da sua filosofia pessimista. A linha mestra se baseia no hinduísmo e também no budismo, mas a conclusão de que a solução é se retirar do mundo é de Schopenhauer.*

Todo querer se origina da necessidade, portanto, da carência, do sofrimento. A satisfação lhe põe um termo; mas para cada desejo satisfeito, dez permanecem irrealizados. Além disso, o desejo é duradouro, as exigências se prolongam ao infinito; a satisfação é curta e de medida escassa. O contentamento finito, inclusive, é somente aparente: o desejo satisfeito imediatamente dá lugar a um outro; aquele já é uma ilusão conhecida, **este ainda não**. Satisfação duradoura e permanente objeto algum do querer pode fornecer; é como uma caridade oferecida a um mendigo, a lhe garantir a vida hoje e prolongar sua miséria ao amanhã. Por isso, enquanto nossa consciência é preenchida pela nossa vontade, enquanto submetidos à pressão dos desejos, com suas esperanças e temores, enquanto somos sujeitos do querer, não possuiremos bem-estar nem repouso permanente. Caçar ou fugir, temer desgraças ou perseguir o prazer, é essencialmente a mesma coisa; a preocupação quanto à vontade sempre exigente,

LUCRÉCIO • ESPINOSA • **SCHOPENHAUER** • EPITETO • KIERKEGAARD *Desejo*

seja qual for a forma em que o faz, preenche e impulsiona constantemente a consciência; sem repouso porém não é possível nenhum bem-estar.

(...)

Como a essência do homem consiste em que sua vontade deseja, é satisfeito e deseja novamente, e assim indefinidamente, e como sua felicidade e bem-estar consistem apenas em que a transição do desejo à satisfação, e desta ao novo desejo, prossiga com rapidez, uma vez que a ausência da satisfação é sofrimento, e a do novo desejo, ansiedade vazia, langor, tédio; assim em conformidade, a essência da melodia é um vagar contínuo, um desvio do tom fundamental, por caminhos mil, não somente em direção aos graus harmônicos, terço e dominante, mas a todo tom, à sétima dissonante e graus ulteriores; mas sempre segue um retorno finito ao tom fundamental; em todos estes caminhos a melodia exprime o impulsionar múltiplo da vontade, porém sempre também mediante o reencontro finito de um grau harmônico, e mais ainda do tom fundamental, a satisfação. A invenção da melodia, o desvelar de todos os mais profundos segredos do querer e sentir humanos, é a obra do gênio, cuja atuação se situa aqui de modo mais visível do que em outra parte qualquer, longe de toda reflexão e intencionalidade consciente, e poderia se denominar uma inspiração. O conceito aqui, como em toda parte na arte, é infrutífero; o compositor revela a essência mais íntima do mundo e a mais profunda sabedoria, em uma linguagem incompreensível à sua razão; assim como um sonâmbulo magnético (4) fornece informações sobre coisas, de que em vigília não possui noção alguma. Por isso, em um compositor, mais do que em qualquer outro artista, o homem é inteiramente separado e diferenciado do artista. Mesmo na explicação desta arte maravilhosa, o conceito mostra sua carência e seus limites; mas tentarei prosseguir em nossa analogia. Assim como a passagem veloz do desejo à satisfação e desta ao novo desejo constitui felicidade e bem-estar, assim melodias ligeiras, sem grandes desvios, são alegres; lentas, resultando em dissonâncias dolorosas, e reencontrando o tom fundamental somente muitos compassos além, são análogas à satisfação retardada, dificultada, triste. O retardamento do novo movimento da vontade, o langor, não permitiria expressão outra senão o prolongado tom fundamental, cujo efeito em breve se tornaria insuportável; deste já se aproximam melodias vazias, muito monótonas. Os motivos curtos e palpáveis da rápida música de dança parecem se referir apenas à felicidade fácil e comum; por outro lado, o *allegro maestoso*, em motivos grandes, movimentos longos, extensos desvios, designa um desejo mais nobre e maior de um objetivo distante e sua satisfação infinita.

ඥ ✼ ෂ

A vida humana transcorre, portanto, toda inteira entre o querer e o conquistar. O desejo, por sua natureza, é dor: a satisfação bem cedo traz a saciedade. O fim não era mais que miragem: a posse lhe tolhe o prestígio; o desejo ou a necessidade novamente se apresentam sob outra forma, que do contrário vem o nada, o vazio, o tédio, e contra isto é tão penosa a luta como contra a miséria. Quando o desejo e a sua satisfação se seguem a intervalos nem muito próximos nem muito distantes, então o sofrimento que trazem ambos é mínimo e a existência é a mais feliz. Porquanto o que se poderia denominar os mais belos momentos, as

LUCRÉCIO • ESPINOSA • **SCHOPENHAUER** • EPITETO • KIERKEGAARD **Desejo**

alegrias mais puras da vida, precisa e unicamente porque nos tolhem à vida real e nos fazem espectadores desinteressados, numa palavra, o conhecimento puro, despojado de qualquer volição, o prazer do belo, o prazer verdadeiro que dá a arte, tudo isto não é concedido senão a pouquíssimos, por motivo que para tal se requerem disposições extremamente raras e que os próprios privilegiados só podem usufruir como sonhos fugazes; e além disso tal superioridade de força intelectual torna essas criaturas suscetíveis de sentir a dor com uma intensidade de que não são capazes os seres medíocres; dando-lhes também o isolamento em meio de criaturas que tão pouco se lhes assemelham; pelo que se vê que não falta a compensação. Os prazeres puramente intelectuais são inacessíveis à imensa maioria dos homens; quase incapazes de provar o prazer dado pelo conhecimento puro, ficam reduzidos unicamente ao querer. (Livro 4)

(...)

Qualquer satisfação, o que vulgarmente se chama felicidade, é, na realidade, de essência sempre negativa, e de nenhum modo positiva. Não é uma felicidade espontânea e que chega de *per si*; deve ser sempre o cumprimento de um desejo. Porquanto desejar, isto é, ter necessidade de alguma coisa é condição preliminar de todo gozo. Mas, com a satisfação cessa o desejo e, portanto, o prazer. A satisfação ou a felicidade não pode, consequentemente, ser outra coisa senão a supressão de uma dor, de uma necessidade; pois a esta categoria pertencem, não apenas os sofrimentos reais, manifestos, como também qualquer desejo cuja importunidade nos perturba o repouso, além do tédio mortal que da existência nos faz um peso. E depois, como é difícil atingir um fim, chegar-se ao que quer que seja! Cada projeto nos opõe dificuldades e exige esforços sem conta; a cada passo se acumulam os obstáculos. E quando, finalmente, houvermos superado tudo e atingido a meta, que outro resultado teremos obtido afora o nos haver libertado de uma dor ou de um desejo, isto é, de nos encontrar precisamente no mesmo ponto em que nos encontrávamos? Dado diretamente não é senão a necessidade, a dor. A satisfação e o gozo não podem ser conhecidos senão indiretamente, por meio da recordação do sofrimento e da recordação passada, os quais cessaram com a apresentação dos primeiros. Vem-se a isto que não sentimos, nem apreçamos suficientemente, os bens e as vantagens que possuímos de feito, parece-nos que devem estar em nós, porque só nos tornam felizes negativamente afastando-nos o sofrimento. Não nos apercebemos do seu valor senão quando os perdemos, porque somente a necessidade, a privação, o sofrimento são positivos e se fazem sentir diretamente. Eis por que a lembrança dos males passados, dissabores, doenças, pobreza etc., nos é grata: é o único meio de provar o bem presente. (Livro 4)

 ## Epiteto

Epiteto (55-135) é um dos maiores nomes do estoicismo, e não é pra menos. Durante grande parte dos seus 80 anos de vida ele foi escravo. Pior ainda: seu amo era um cara extremamente cruel. Ele se chamava Epafrodito e era secretário de Nero. O sujeito era tão do mal, que uma vez quebrou uma das pernas de Epiteto. Por isso, esse filósofo é sempre retratado usando muletas.

Apesar de sua condição nada invejável, Epiteto passou a existência procurando resposta para duas perguntas

LUCRÉCIO • ESPINOSA • SCHOPENHAUER • **EPITETO** • KIERKEGAARD   *Desejo*

fundamentais: como viver uma vida plena e feliz?, como ser uma pessoa com qualidade moral? Epiteto assistiu às palestras de um famoso filósofo estoico chamado Caio Musônio Rufo. As palavras de Caio Rufo fizeram o queixo de Epiteto cair. Desde então ele se dedicou a estudar o estoicismo. Para ele, uma vida feliz não existe sem que a pessoa pratique a virtude. A ação correta leva à felicidade.

Trechos do *Enquirídion (O Manual)*

> Os ensinamentos e reflexões de Epiteto foram registrados por seu discípulo Lúcio Flávio Arriano em dois livros, Discursos e O Manual. Em grego, o nome desse livro é Enquidíon, isto é, "aquilo que está à mão", ou manual. A ideia era justamente ter as coisas mais importantes da filosofia sempre à mão. O livro acabou se tornando um dos mais importantes textos da Antiguidade, servindo de inspiração para diversas gerações.

Lembre-se de que o propósito do desejo é obter o que se deseja, o propósito da repulsa é não se deparar com o que se evita. Quem falha no desejo não é afortunado. Quem se depara com o que evita é desafortunado. Caso, entre as coisas que são seus encargos, somente rejeite as contrárias à natureza, não se deparará com nenhuma coisa que evite. Caso rejeite a doença, a morte ou a pobreza, será desafortunado. Então retire a repulsa de todas as coisas que não sejam encargos nossos e transfira-as para as coisas sobre as quais temos controle. Por ora, suspende por completo o desejo, pois se desejar alguma das coisas que não sejam encargos nossos, necessariamente não será afortunado. Das coisas que são encargos nossos, todas quantas seria bom desejar, nenhuma está ao seu alcance

👉 **Epiteto segue aqui um ensinamento do filósofo Menêdemos**, que viveu na época de Platão. Menêdemos dizia que "O bem maior é querermos o que devemos querer". Então, se quisermos ser felizes, precisamos desejar apenas o que nos basta, o que nos é verdadeiro, e evitar querer coisas impossíveis ou que tenham um custo pessoal maior que o benefício obtido.

ⓘ *Epiteto*, Michael Burghers, 1715, gravura.

ainda. Assim, faça uso somente do impulso e do refreamento, sem excesso, com reserva e sem constrangimento.

(...)

Se você quiser que seus filhos, sua mulher e seus amigos vivam para sempre, você é tolo, pois quer ter coisas em seu poder que não estão em seu poder; assim também é com desejar que as coisas do outro sejam suas. Do mesmo modo, se quiser que o servo não cometa faltas, é insensato, pois quer que o vício não seja vício, mas outra coisa. Se, porém, não quiser se desapontar com seus desejos, isso está a seu alcance. Exercite, portanto, o que está em seu poder. O senhor de cada um é quem possui o poder de conservar ou afastar as coisas desejadas ou indesejadas por cada um. Então, quem quer que deseje ser livre, nem queira, nem evite o que dependa de outros. Senão, necessariamente **será escravo**.

(...)

Lembre-se de que você deve se comportar como em um banquete. Algo que está sendo servido chega a você? Estendendo a mão, sirva-se com moderação. Passou por você? Não chame de volta. Ainda não chegou? Não arda de desejo, mas espere até que venha. Aja do mesmo modo em relação aos filhos, à mulher, aos cargos, à riqueza, e um dia você merecerá banquetear com os deuses. E se você não pegar as coisas colocadas diante de você, mas renunciar a elas, então não somente será um convidado dos deuses, mas governará com eles. Dessa maneira, Diógenes, Heráclito e

LUCRÉCIO • ESPINOSA • SCHOPENHAUER • EPITETO • KIERKEGAARD   *Desejo*

seus semelhantes tornaram-se merecidamente divinos, e como tal foram reconhecidos.

Kierkegaard

Trecho de *Diário de um Sedutor*

O livro Diário de um sedutor *foi escrito por Kierkegaard com o pseudônimo de Johannes Mephistopheles e editado com o pseudônimo de Victor Eremita. O texto, na forma de romance, conclui o primeiro volume de* A Alternativa, *também conhecido como* Ou... ou, *publicado em 1843. Nesse texto, Kierkegaard desenvolve a perspectiva estética da sua filosofia (para ele, as outras duas formas de consciência humana são a ética e a religiosa).*

Minha Cordélia!

O que é o desejo? A língua e os poetas fazem rimar desejo e prisão. Que absurdo! Como se aquele que está na prisão pudesse arder em desejo! Se eu fosse livre, como arderia! E, por outro lado, sou livre como um pássaro e, acredita-me, ardo em desejo — sinto-o ao ir para tua casa e quando te deixo, e, ainda quando estou sentado a teu lado, ardo em desejo por ti. Mas poder-se-á então desejar aquilo que se possui? Sim, quando pensamos que, no instante seguinte, o não possuímos já. O meu desejo é uma impaciência eterna. Se eu tivesse vivido todas as eternidades e ganho a certeza de que me pertences em todos os seus instantes, só então estaria junto de ti e viveria contigo todas as eternidades — certamente não teria paciência bastante para estar um só momento separado de ti sem arder em desejo, mas possuiria a confiança suficiente para me manter calmo a teu lado.

Teu Johannes

Existência

Existo, logo penso... penso e não durmo mais!

A existência é um nó na vida humana que dá muito pano pra manga pra reflexão filosófica. Tem até uma corrente filosófica chamada Existencialismo que coloca a realidade bruta do sujeito (sua angústia, morte etc.) como tema principal da investigação filosófica. Na real, por mais que a gente exista, é muito difícil explicar ou definir o que é existência. É uma daquelas questões humanas fundamentais que não têm resposta — ao menos resposta satisfatória. Descartes conseguiu provar a existência a partir do pensamento. É o célebre "cogito": penso, logo existo. Claro. Se percebo que penso, é porque algo em mim pensa; se algo em mim pensa, então existo. Está provado (CQD). Outros, como Kierkegaard, mergulham em outras águas e falam da vida subjetiva, daquela coisa que é só sua, que ninguém sabe, ninguém tem como saber ou experimentar. Sartre descobre que a liberdade, que é algo exclusivamente humano,

Manual de Sobrevivência Filosófico

traz a angústia. E por aí vai... E pra explodir a cabeça, uma conversa sobre existência com quatro grandes filósofos.

Kierkegaard

Trecho de *O Desespero Humano* (Doença Até a Morte)

Kierkegaard é o escritor da existência. E ninguém melhor do que Sartre para dar a ideia de existência em Kierkegaard: "A vida subjetiva, na própria medida em que é vivida, não pode jamais ser objeto de um saber; ela escapa, em princípio, ao conhecimento... Essa interioridade que pretende afirmar-se contra toda filosofia, na sua estreiteza e profundidade infinita, essa subjetividade reencontrada para além da linguagem, como a aventura pessoal de cada um em face dos outros e de Deus, eis o que Kierkegaard chamou de existência."

O Desespero Humano é considerado um dos pontos altos da filosofia do século 19. Aqui, Kierkegaard mergulha fundo no desejo do homem de entender Deus e na luta do Homem para superar as angústias que vêm das dúvidas sobre a imortalidade da alma e do vazio espiritual da existência.

Se o eu que desespera é passivo, o desespero continua, porém, a ser aquele em que pretendemos ser nós próprios. Talvez um eu experimentador (...) querendo previamente orientar-se no seu eu concreto vá ao encontro de qualquer dificuldade, àquilo a que os cristãos chamariam uma cruz, um mal fundamental, seja ele aliás qual for. O eu que nega os dados concretos e imediatos do eu começará, talvez, por tentar alijar esse mal por fingir que ele não existe e não quererá saber dele outro, mas a sua tentativa de abordar

KIERKEGAARD • DESCARTES • PASCAL • KANT   *Existência*

a sua destreza nas experiências não vai a esse ponto, nem sequer a sua destreza de abstrator; como **Prometeu**, o eu negativo infinito sente-se preso a essa sujeição interior. Temos aqui, portanto, um eu passivo.

❧ ✣ ☙

O eu é senhor em sua casa, como é costume dizer-se, absolutamente senhor; e isso é o desespero, mas é ao mesmo tempo aquilo que toma como satisfação e prazer. Mas um segundo exame nos convence sem dificuldade de que este príncipe absoluto é um rei sem reino, que, no fundo, sobre nada governa; a sua situação, a sua soberania está submetida a esta dialética: que a todo o instante a revolta é legitimidade. Com efeito, no fim das contas tudo depende da arbitrariedade do eu.

❧ ✣ ☙

(...) Desesperar quanto ao eterno é impossível sem uma ideia do eu, sem a ideia de que há ou houve nele eternidade. E para desesperar de si, é também necessário que se tenha consciência de ter um eu; e é disso que o homem desespera, não do temporal ou de uma coisa temporal, mas de si próprio. Além disso, aqui maior consciência do que seja o desespero que não é, com efeito, senão a perda da eternidade e de si próprio.

👉 **Prometeu era um titã que roubou o fogo dos céus** para dá-lo à humanidade. Com isso, os mortais ficaram quase tão poderosos quanto os deuses. Por isso, Prometeu foi punido por Zeus com um castigo terrível. Foi acorrentado a uma pedra, e, todos os dias, vinha um abutre comer seu fígado, que se regenerava depois de cada refeição por conta da imortalidade de Prometeu.

ℹ️ *Prometeu acorrentado*, Peter Paul Rubens, 1611, óleo sobre tela.

Descartes

René Descartes foi, sem a menor sombra de dúvida, um dos filósofos mais importantes e influentes da história do pensamento ocidental. Descartes nasceu na França em 1596, numa família nobre. Aos oito anos ficou órfão de mãe e foi enviado para o colégio dos jesuítas de La Flèche. Foi um aluno brilhante, mas ficou desiludido com o que aprendeu nos livros. Daí, resolveu ir buscar o conhecimento na observação do mundo. É isso aí: os primórdios do empirismo, de ir procurar a verdade na prática. Nada melhor para viajar do que servir ao exército. Assim, o jovem Descartes se alistou nas tropas holandesas de Maurício de Nassau, aos 22 anos. Apesar do serviço militar, ele continuou com seus estudos em diversas áreas de conhecimento. Depois de sair do exército e retornar a Paris, começou a estudar filosofia. Com medo da Inquisição, aos 33 anos resolveu se mudar para a sempre liberal Holanda. Em Amsterdã, escreveu muitos livros e manteve uma intensa correspondência com as mentes mais brilhantes da Europa. Em 1649, vai para Estocolmo a convite da rainha Cristina, da Suécia, onde pretendia passar algum tempo. Só que ele se deu mal: morreu de pneumonia um ano depois. É que a rainha insistia em ter suas aulas com o filósofo de manhã bem cedo, ao raiar do dia. E na gelada Suécia, Descartes acabou ficando doente e sucumbiu aos 54 anos.

O método cartesiano se baseia no ceticismo. A pessoa tem de duvidar de cada ideia que não seja clara e distinta. Na real, a dúvida tem um papel fundamental na filosofia de Descartes. Para ele, só se pode dizer que existe aquilo que puder ser provado. Nas palavras do próprio, a lógica é a seguinte: "Se eu duvido de tudo o que percebo por meio dos sentidos, e se duvido até mesmo das verdades matemáticas,

não posso duvidar de que tenho consciência de duvidar, portanto, de que existo enquanto tenho essa consciência".

Sua famosa frase "penso, logo existo", conhecida como "cogito", é a descoberta do espírito por si mesmo, isto é, o espírito está observando a si mesmo pensando. Quem está pensando? Eu — claro. Então está provado que eu existo. Sinistro.

Trechos de *Meditações Metafísicas*

Meditações de Descartes é um dos livros mais importantes escritos no Ocidente. Ele sedimenta o período moderno, porque estabelece um novo método de avaliar a verdade baseado na dúvida. Aqui, Descartes aplica o método da dúvida para analisar a relação entre corpo e espírito. Por isso, esse texto também é fundamental para a Filosofia da Mente, estabelecendo o conceito dualista, isto é, afirma que somos feitos de corpo e de espírito.

Resumo das *Meditações*

Na segunda (meditação), o espírito que, usando de sua própria liberdade, supõe que todas as coisas, de cuja existência haja a menor dúvida, não existem, reconhece que é absolutamente impossível, no entanto, que ele próprio não exista. O que é também de uma utilidade muito grande, já que por esse meio ele estabelece facilmente distinção entre as coisas que lhe pertencem, isto é, à natureza intelectual, e as que pertencem ao corpo. Mas, como pode ocorrer que alguns esperem de mim, neste ponto, razões para provar a imortalidade da alma, considero dever agora adverti-los de que, tendo procurado nada escrever neste tratado de que não tivesse demonstrações muito exatas, vi-me obrigado a seguir uma ordem semelhante àquela de que se servem os

Manual de Sobrevivência Filosófico

☞ **A sacada de Descartes é que ele percebeu** que duvidar significa pensar e, enquanto penso, eu existo, pois, para se pensar, deve haver alguém que pense. Enquanto eu sou aquele que pensa e, portanto, duvida, eu existo: cogito, ergo sum.

ⓘ *O pensador, Auguste Rodin, 1880/82, escultura de bronze.*

geômetras, a saber, adiantar todas as coisas das quais depende a proposição que se busca, antes de concluir algo dela.

(...)

E quanto mais longa e cuidadosamente examino todas as coisas, tanto mais clara e distintamente reconheço que elas são verdadeiras. Mas, enfim, que concluirei de tudo isso? Concluirei que, se a realidade objetiva de alguma de minhas ideias é tal que eu reconheça claramente que ela não está em mim nem formal nem eminentemente e que, por conseguinte, não posso, eu mesmo, ser-lhe a causa, daí decorre necessariamente que não existo sozinho no mundo, mas que há ainda algo que existe e que é a causa desta ideia; ao passo que, se não se encontrar em mim tal ideia, não terei nenhum argumento que me possa convencer e me certificar da existência de qualquer outra coisa além de mim mesmo; pois procurei-os a todos cuidadosamente e não pude, até agora, encontrar nenhum.

A Grande Sacada

A sacada de Descartes é que ele percebeu que duvidar significa pensar e, enquanto penso, eu existo, pois, para se pensar, deve haver alguém que pense. Enquanto eu sou aquele que pensa e, portanto, duvida, eu existo: cogito, ergo sum.

Existe uma coisa que eu não posso duvidar, mesmo que o demônio queira enganar-me,

KIERKEGAARD • DESCARTES • PASCAL • KANT  *Existência*

mesmo que tudo que penso seja falso, mesmo que tudo podemos rejeitar, em tudo duvidar e também admitir que não há Deus, nem céu, nem terra, todavia, resta a certeza que eu duvido, ou seja, penso (...). Nenhum objeto do pensamento resiste à dúvida, porém, o próprio ato de duvidar é indubitável.

(...) Havia bastante tempo observara que, no que concerne aos costumes, é às vezes preciso seguir opiniões, que sabemos serem muito duvidosas, como se não admitissem dúvidas, conforme já foi dito acima; porém, por desejar então dedicar-me apenas à pesquisa da verdade, achei que deveria agir exatamente ao contrário, e rejeitar como totalmente falso tudo aquilo em que pudesse supor a menor dúvida, com o intuito de ver se, depois disso, não restaria algo em meu crédito que fosse completamente incontestável. Ao considerar que os nossos sentidos às vezes nos enganam, quis presumir que não existia nada que fosse tal como eles nos fazem imaginar. E, por existirem homens que se enganam ao raciocinar, mesmo no que se refere às mais simples noções de geometria, e cometem paralogismos, rejeitei como falsas, achando que estava sujeito a me enganar como qualquer outro, todas as razões que eu tomara até então por demonstrações. E, enfim, considerando que quaisquer pensamentos que nos ocorrem quando estamos acordados nos podem também ocorrer enquanto dormimos, sem que exista nenhum, nesse caso, que seja correto, decidi fazer de conta que todas as coisas que até então haviam entrado no meu espírito não eram mais corretas do que as ilusões de meus sonhos. Porém, logo em seguida, percebi que, ao mesmo tempo que eu queria pensar que tudo era falso, fazia-se necessário que eu, que pensava, fosse alguma coisa. E, ao notar que esta verdade:

eu penso, logo existo, era tão sólida e tão correta que as mais extravagantes suposições dos céticos não seriam capazes de lhe causar abalo, julguei que podia considerá-la, sem escrúpulo algum, o primeiro princípio da filosofia que eu procurava. (*Discurso do Método*)

Pascal

Na sua época, Blaise Pascal (1623-1662) ficou famoso não como filósofo, mas porque inventou, aos 20 anos, a "máquina de calcular", uma das primeiras calculadoras mecânicas. O nome dessa calculadora, como não podia deixar de ser, era Pacaline. Mas a genialidade desse cara não para aí. Aos 23 anos ele demonstrou a existência do vazio na natureza e, juntamente com Leibniz, criou o cálculo das probabilidades.

Pascal ficou amigo de pensadores libertinos, que eram assim chamados por não seguirem os costumes morais de sua época. Só que ele acabou virando um defensor radical do cristianismo. Adotou a vertente defendida pelo jansenismo, doutrina religiosa inspirada nas ideias do bispo de Ypres, Cornelius Jansen, que eram de caráter dogmático, moral e disciplinar, com implicações políticas. Apesar de ter se desenvolvido no seio da Igreja Católica, acabou por vir a ser considerada herética. No fim de 1654, passou por uma experiência mística, que o levou a abandonar as ciências para se dedicar exclusivamente à filosofia e à teologia, num período marcado pelo conflito entre jansenistas e jesuítas. Embora tenha rejeitado a autoridade em matéria de ciência, confiou mais na experiência do que na razão. Preferiu os "espíritos de finesse" aos "espíritos geométricos". Para ele, "o coração tem razões que a razão desconhece".

KIERKEGAARD • DESCARTES • **PASCAL** • KANT  *Existência*

Trechos de *Pensamentos*

Apesar de o tema principal desse livro ser a religião, o espectro da reflexão de Pascal, registrada nesses fragmentos, atinge a dimensão da existência humana nos seus mais íntimos aspectos. É uma meditação profunda sobre as tensões que marcam as relações nos humanos e nossa transcendência (algo tão humano, demasiadamente humano) que nos supera pelo terror, pelo temor e pela piedade. Putz, não é fácil ser humano...

A imortalidade da alma é uma coisa que nos preocupa tanto, que tão profundamente nos toca, que é preciso ter perdido todo sentimento para permanecer indiferente diante dela. Todos os nossos pensamentos e ações devem tomar caminhos tão diferentes, conforme se esperem ou não os bens eternos, que é impossível fazer uma pesquisa sensata e criteriosa sem ter em vista esse ponto que deve ser o nosso último objeto.

Assim, o nosso primeiro interesse, o nosso primeiro dever, é esclarecer bem o assunto, do qual depende toda a nossa conduta. Eis por que, dentre os que não estão persuadidos disso, eu estabeleço uma extrema diferença entre os que trabalham com todas as suas forças para instruírem-se a respeito e os que vivem sem se dar a esse trabalho e sem pensar nisso.

Só posso ter compaixão dos que gemem sinceramente nessa dúvida, dos que a observam como a última das desgraças e dos que, sem nada poupar para sair dela, fazem de tal pesquisa as suas principais e mais sérias ocupações.

Mas, quanto aos que passam a vida sem pensar nesse último fim da existência, de forma que, por essa única razão, não descobrem em si próprios as luzes que os persuadam, deixando de procurá-las em outra parte e de examinar a

Manual de Sobrevivência Filosófico

fundo se essa opinião é daquelas que o povo recebe com uma simplicidade crédula ou daquelas que, embora obscuras por natureza, possuem, contudo, um fundamento bastante sólido e inabalável, eu os considero de maneira bem diferente.

(...)

Os ímpios que fazem profissão de seguir a razão devem ser estranhamente fortes em razão. Que dizem eles, pois? Não vemos, perguntam, morrer e viver os animais como os homens, e os turcos como os cristãos? Eles têm suas cerimônias, seus profetas, seus doutores, seus santos, seus religiosos, como nós etc. Isso é contrário à Escritura? Ela não diz tudo isso? Se não vos importais em saber a verdade, eis o bastante para ficardes em repouso. Mas, se desejais de todo o coração conhecê-la, isso não é o bastante; observai em detalhe. Seria o bastante, (talvez), para uma (vã) questão de filosofia; mas, aqui, onde é óbvio... E, no entanto, após uma ligeira reflexão dessa espécie, divertir-nos-emos etc.

É uma coisa horrível sentir continuamente escoar-se tudo o que se possui (e a que a gente se possa ligar, sem ter vontade de procurar se não há alguma coisa de permanente).

É preciso, ao contrário, viver no mundo segundo estas diversas suposições: se pode existir sempre nele, se é certo que não se existirá mais tempo, e incerto se se existirá uma hora. Esta última suposição é a nossa.

Kant

Um trechinho da *Crítica da Razão Pura*

O caminho do pensamento tem duas fases: o período pré-crítico e o crítico, que começou em 1781 com a publicação da obra Crítica da razão pura. *Esse livro é a principal obra*

KIERKEGAARD • DESCARTES • PASCAL • KANT   *Existência*

de teoria do conhecimento de Kant (teoria do conhecimento em filosofês é "epistemologia", uma das grandes áreas de especulação filosófica) e é considerado um dos mais influentes trabalhos da história da filosofia. Nesse texto, Kant tenta responder uma pergunta fundamental na filosofia: o que podemos saber?

Nossa existência pode ser apenas aparência

Ao considerar tempo e espaço como qualidades que devem encontrar-se nas coisas em si para sua possibilidade, reflita-se nos absurdos a que chegam, admitindo duas coisas infinitas sem ser substâncias, nem algo realmente inerente nelas, mas que devem ser algo existente para condição necessária de existência para todos os objetos, e que subsistiriam ainda mesmo que cessassem de existir todas as coisas. Não se deve censurar ao bom **Berkeley**, por ter reduzido tudo à aparência. Nossa própria existência, dependente em tal caso da realidade subsistente em si de uma quimera, tal como o tempo, será como este uma vã aparência: absurdo que até agora ninguém ousou sustentar.

George Berkeley (1685 - 1753) foi um filósofo idealista irlandês que criou uma teoria que ele chamou de "imaterialismo", que basicamente nega a existência de substância material. Em vez disso, Berkeley afirma que objetos como automóveis e pianos são apenas ideias na mente daqueles que os percebem. Por conta disso, os objetos não podem existir sem ser percebidos.

Retrato de George Berkeley, John Smibert, 1730, óleo sobre tela.

Felicidade

Felicidade, essa danada

A felicidade está onde a colocamos, mas nunca a colocamos onde estamos...

Felicidade é uma coisa muito louca. Todo mundo quer ser feliz, alguns fazem de tudo para ser felizes. Só que quase sempre acabam frustrados, sem direção, infelizes. É que, sem saber ao certo o que é felicidade, a pessoa vai procurando satisfazer seus desejos e termina por descobrir que felicidade não tem a ver só com a satisfação dos desejos. É complicado. E justamente por ser complicado é que o tema "felicidade" vem sendo debatido na filosofia desde Sócrates. E, como no aso de outros temas importantes, os conceitos são muitos, o que amplia muito a discussão.

Para falar sobre esse tema tão importante para a vida humana, aqui estão seis filósofos de diferentes épocas, com diferentes visões.

John Stuart Mill

O filósofo inglês John Stuart Mill (1806-1873) marcou a história da filosofia por ter desenvolvido a tese do utilitarismo. Só que Mill não é o fundador dessa corrente ética. Seu propositor foi Jeremy Bentham (1748-1832), amigo próximo do pai de John. Por causa disso, John Mill foi iniciado nessa filosofia ética desde cedo e veio a desenvolvê-la.

Para Bentham, o interesse e o prazer são a cenoura na frente do nariz da conduta humana. A partir dessa ideia, seu discípulo John Mill elaborou uma moral utilitarista. Mill afirmou que, do ponto de vista da moral, a utilidade é o principal critério da atividade humana e propôs o "princípio da maior felicidade". De acordo com esse princípio, uma ação é correta se conduzir o maior número de pessoas à felicidade. Assim, para um utilitarista, a felicidade é critério para avaliar as consequências de uma ação. Mas a felicidade é determinada, para Mill, pela utilidade. Daí o fato de sua filosofia ser chamada "utilitarismo". Contudo, para Mill, utilidade não tem a ver com eficácia. A ética utilitarista entende como "útil" a preocupação com a felicidade geral, isto é, da comunidade e da sociedade. O utilitarismo de Mill se aplica mais no nível coletivo, social. Um governante deve ter em mente a busca pela felicidade de toda a comunidade. De fato, para Mill, a moral é inseparável da política, do jurídico, do social tanto quanto o é da estética, da ciência e da ecologia.

Trechos de *O Utilitarismo*

O livro mais celebrado sobre a filosofia utilitarista é O Utilitarismo, *de John Stuart Mill, publicado em 1861. É*

PLATÃO • SCHOPENHAUER • AGOSTINHO • EPICURO *Felicidade*

um estudo claro e conciso sobre essa corrente que influenciou o mundo contemporâneo em pelo menos três áreas: a política, a econômica e a ética. Por causa desse e de outros textos, Mill é considerado um dos pensadores mais influentes do século 19. Só que tem um detalhe: a mulher de Mill, a também filósofa Harriet Taylor Mill, deu a maior mão no desenvolvimento das ideias e na redação desse e de outros livros do maridão. Harriet foi uma filósofa ativa na defesa dos direitos das mulheres. Ela foi membro da Sociedade de Kensington, que escreveu a primeira petição exigindo o direito de voto para as mulheres.

A Felicidade de Todos é a Referência da Moral... ah, tá!

(...) Embora a inexistência de um primeiro princípio reconhecido tenha tornado a ética não tanto um guia quanto uma consagração dos sentimentos reais dos homens, ainda assim, como os sentimentos dos homens, tanto de favor como de aversão, são grandemente influenciados pelo que supõem ser os efeitos das coisas sobre sua felicidade, o princípio da utilidade, ou como Bentham chamou, o grande princípio da felicidade, teve uma participação significativa na formação das doutrinas morais, mesmo daquelas que rejeitam com desprezo sua autoridade. Tampouco existe uma escola de pensamento que se recuse a admitir que a influência das ações sobre a felicidade seja uma consideração mais material e até predominante em muitos dos detalhes da moral, embora não esteja disposta a reconhecê-la como princípio fundamental da moralidade e fonte de obrigação moral.

(...)

111

Felicidade é ausência de dor

O credo que aceita como fundamento da moral a Utilidade, ou o Princípio Maior da Felicidade, afirma que as ações são corretas na medida em que tendem a promover a felicidade, e erradas quando tendem a produzir o reverso da felicidade. Por felicidade se entende prazer e ausência de dor; por infelicidade, a dor e a privação do prazer. Para dar uma visão clara do padrão moral estabelecido pela teoria, muito mais precisa ser dito, em particular que coisas estão inclusas nas ideias de dor e de prazer; e até que ponto isso é deixado em aberto. Mas essas explicações suplementares não afetam a teoria da vida em que essa teoria da moralidade está fundamentada — a saber, que o prazer e a liberação da dor são as únicas coisas desejáveis como fins, e que todas as coisas desejáveis (que são tão numerosas para o utilitário como para qualquer outro plano) são desejáveis tanto pelo prazer inerente a si mesmas, quanto como meio para a promoção do prazer e a prevenção da dor.

(...) mesmo que haja algum outro fundamento de obrigação moral que não seja a felicidade geral, os homens desejam a felicidade; e, por mais imperfeita que seja seu proceder, desejam e recomendam toda a conduta dos outros em relação a si mesmos, pelo que acreditam que sua felicidade é promovida. No que diz respeito ao motivo religioso, se os homens acreditam, conforme professa a maioria, na bondade de Deus, aqueles que pensam que a favorabilidade à felicidade geral é a essência, ou mesmo apenas o critério, do bem devem necessariamente acreditar que também é aquilo que Deus aprova. Toda a força, portanto, de recompensa e castigo externo, seja físico ou moral, e procedente de Deus ou de nossos semelhantes, junto com tudo o que as capacidades da natureza humana admitem, de devoção

desinteressada a qualquer um, torna-se disponível para impor a moralidade utilitarista, na proporção em que essa moralidade é reconhecida; e quanto mais poderosamente, mais os aparelhos de educação e cultivo são direcionados para esse propósito.

※

(...) Na realidade, não se deseja nada a não ser a felicidade. O que quer que se deseje que não seja como meio para algum fim além de si mesmo e, em última instância, para a felicidade, é desejado como parte da felicidade, e não é desejado por si mesmo até que se torne assim. Aqueles que desejam a virtude por si só, desejam-na ou porque a consciência dela é um prazer, ou porque a consciência de estar sem ela é uma dor, ou por ambas as razões; como na verdade o prazer e a dor raramente existem separadamente, mas quase sempre juntos, a mesma pessoa sente prazer no grau de virtude atingido e dor em não a ter alcançado. Se um deles não lhe der prazer, e o outro não produzir dor, ele não amaria nem desejaria a virtude, ou a desejaria apenas pelos outros benefícios que ela poderia produzir para si mesmo ou para as pessoas com quem ele se importa.

Temos agora, então, uma resposta à pergunta: de que tipo de prova o princípio da utilidade é suscetível? Se a opinião que agora afirmei é psicologicamente verdadeira — se a natureza humana é constituída de modo a não desejar nada que não seja parte da felicidade ou um meio de felicidade, não podemos ter outra prova, e não exigimos outra, que estas são as únicas coisas desejáveis. Se assim for, a felicidade é o único fim da ação humana, e a promoção dela é o teste pelo qual julgar toda conduta humana; de onde decorre necessariamente que deve ser o critério da moralidade, uma vez que uma parte é incluída no todo.

Rousseau

Trecho do *Discurso Sobre a Origem da Desigualdade*

Em 1755, Rousseau publicou o Discurso Sobre a Origem da Desigualdade, *que lhe deu fama, mas lhe causou problemas. Nesse texto, Rousseau descreve o estado de natureza como um equilíbrio perfeito entre o que se quer e o que se tem. O homem natural é um ser de sensações e só. O homem no estado de natureza deseja somente aquilo que o rodeia, porque ele não pensa e, portanto, não tem imaginação necessária para desenvolver um desejo que ele não percebe. Estas são as únicas coisas que ele poderia "representar". Então, os desejos do homem no estado de natureza são os desejos de seu corpo.*

Um autor célebre, calculando os bens e os males da vida humana, e comparando as duas somas, achou que a última ultrapassa muito a primeira, e que tomando o conjunto, a vida era para o homem um péssimo presente. Não fiquei surpreendido com a conclusão; ele tirou todos os seus raciocínios da constituição do homem civilizado. Se subisse até ao homem natural, pode-se julgar que encontraria resultados muito diferentes; porque perceberia que o homem só tem os males que se criou para si mesmo, o que à natureza se faria justiça. Não foi fácil chegarmos a ser tão desgraçados. Quando, de um lado, consideramos o imenso trabalho dos homens, tantas ciências profundas, tantas artes inventadas, tantas forças empregadas, abismos entulhados, montanhas

PLATÃO • SCHOPENHAUER • AGOSTINHO • EPICURO   *Felicidade*

arrasadas, rochedos quebrados, rios tornados navegáveis, terras arroteadas, lagos cavados, pantanais dissecados, construções enormes elevadas sobre a terra, o mar coberto de navios e marinheiros, e quando, olhando do outro lado, procuramos, meditando um pouco as verdadeiras vantagens que resultaram de tudo isso para a felicidade da espécie humana, só podemos nos impressionar com a espantosa desproporção que reina entre essas coisas, e deplorar a cegueira do homem, que, para nutrir seu orgulho louco, não sei que vã admiração de si mesmo, o faz correr ardorosamente para todas as misérias de que é suscetível e que a benfazeja natureza havia tomado cuidado em afastar dele.

Platão

Trechos de *A República*

A República *é outro diálogo fundamental de Platão, com certeza, um dos mais importantes da história da filosofia. O protagonista desse diálogo é, claro, Sócrates. Partindo de uma especulação sobre o que é a Justiça, Platão discute os mais variados temas, como política, metafísica e teoria do conhecimento.*

Sócrates — Esqueces uma vez mais, meu amigo, que a lei não se ocupa de garantir uma felicidade excepcional a uma classe de cidadãos, mas esforça-se por realizar a felicidade de toda a cidade, unindo os cidadãos pela persuasão ou a sujeição e levando-os a compartilhar as vantagens que cada classe pode proporcionar à comunidade; e que, se ela forma tais homens na cidade, não é para lhes dar a liberdade de se voltarem para o lado que lhes agrada, mas para os levar a participar na fortificação do lado do Estado.

☙ ✣ ❧

Sócrates — (...) Portanto, se você acredita em mim, crendo que a alma é imortal e capaz de suportar todos os males, assim como todos os bens, nos manteremos sempre na estrada ascendente e, de qualquer maneira, praticaremos a justiça e a sabedoria. Assim estaremos de acordo conosco e com os deuses, enquanto estivermos neste mundo e quando tivermos conseguido os prêmios da justiça, como os vencedores que se dirigem à assembleia para receberem os seus presentes. E seremos felizes neste mundo e ao longo da viagem de mil anos que acabamos de relatar.

Schopenhauer

Trecho de *O Mundo Como Vontade e Como Representação*

Só a força interior de uma disposição artística realiza tudo isto; porém, esta disposição estritamente objetiva é facilitada e favorecida do exterior por objetos que lhe vêm ao encontro, pela opulência da bela natureza convidando a sua intuição, se impondo mesmo. Ela quase sempre é bem-sucedida ao se revelar de modo súbito, em nos arrancar, mesmo que só por instantes, à subjetividade, à servidão da vontade, e nos trasladar ao estado de conhecimento puro. É justamente por isto que o atormentado pela paixão, ou pela necessidade e preocupação, é tão subitamente aliviado, reconfortado e alegrado por uma única visão livre da natureza; a tormenta das paixões, o impulso do desejo e do temor, e todo sofrimento do querer são imediatamente apaziguados de um modo maravilhoso. Pois no momento mesmo em que,

arrancados do querer, nos abandonamos ao conhecimento puro independentemente da vontade, penetramos em um outro mundo, em que tudo que movimenta nossa vontade, e por isto nos abala com tal intensidade, não mais existe. Esta libertação do conhecimento nos subtrai a tudo isto de maneira análoga ao sono e ao sonho: felicidade e infelicidade desaparecem; não somos mais o indivíduo, que está esquecido, mas apenas sujeito puro do conhecimento; continuamos existindo somente como a vista única do mundo, a mirar do alto de todos os seres que conhecem, mas que unicamente no homem pode se tornar completamente livre do serviço da vontade, mediante o que desaparece toda diversidade da individualidade tão inteiramente, que se torna indiferente o pertencer a vista observadora a um poderoso monarca ou a um atormentado mendigo. Pois nem felicidade nem miséria acompanham a ultrapassagem deste limiar. Tão próxima de nós se localiza uma região em que nos livramos de toda nossa miséria; mas quem é dotado da força para ali se manter? Logo que uma relação qualquer do objeto da contemplação pura com nossa vontade, nossa pessoa, retorne à consciência, o encanto chega ao fim. Recaímos no conhecimento dominado pelo princípio de razão, já não conhecemos mais a ideia, mas a coisa individual, o anel de uma cadeia, a que também nós pertencemos, e estamos novamente à mercê de toda nossa miséria.

Agostinho

O bispo de Hipona, Aurélio Agostinho (354-430), é importante principalmente porque uniu o pensamento filosófico clássico e o cristianismo. Ou seja, o cara juntou as ideias de Platão aos ensinamentos de Jesus. As contribuições de

Agostinho ao pensamento cristão são muitas. Ele ajudou a formular a doutrina do pecado original e deu os primeiros passos no sentido de desenvolver a teoria da guerra justa.

Suas obras mais conhecidas são *As confissões*, escrita em cerca de 400, que são autobiográficas, e *A cidade de Deus*, composta entre 412 e 427. Nesses livros, Agostinho escreve sobre a relação entre a fé e a razão. Para ele, sem a fé, a razão é incapaz de promover a salvação do homem e de lhe trazer felicidade.

A influência do pensamento de Agostinho foi decisiva na formação e no desenvolvimento da filosofia cristã no período medieval, sobretudo na linha do platonismo. Tanto as *Confissões* quanto as *Retratações*, que ele escreveu no fim de sua vida, fazem dele um precursor de Descartes, de Rousseau e do existencialismo: "Se eu me engano, eu existo".

Trechos de *As Confissões (caps. X e XI)*

As Confissões são a autobiografia de Aurélio Agostinho, onde ele confessa seus pecados, sua vocação e especula sobre diversos temas. Aqui, ele diz que não está confessando seus pecados, mas sua devoção a Deus. Por isso, além de filosofia, o texto acaba sendo também um hino de louvor.

A memória da felicidade

E como hei de te buscar, Senhor? Quando te procuro, meu Deus, estou à procura da felicidade. Procurar-te-ei para que minha alma viva, porque meu corpo vive de minha alma, e minha alma vive de ti. Como então devo buscar a felicidade? Porque não a possuirei até que possa dizer "basta". Como, pois, procurá-la? Talvez pela lembrança, como

Felicidade

se a tivesse esquecido, guardando, contudo, a lembrança do esquecimento? Ou pelo desejo de conhecer algo desconhecido ou por nunca tê-lo vivido, ou por tê-lo esquecido a ponto de nem ter consciência do seu esquecimento?

Mas não será justamente a felicidade que todos querem, sem exceção? E onde a conheceram para a desejarem tanto? Onde a viram para assim a amarem? O que é certo é que está em nós a sua imagem. Mas não sei como isto se dá. E há diversos modos de ser feliz: quer possuindo realmente a felicidade, quer possuindo apenas sua esperança. Este último modo é inferior ao dos que são realmente felizes, embora estejam melhor que os não felizes nem na realidade, nem na esperança. Mesmo estes, todavia, não desejariam tanto a felicidade se esta lhes fosse completamente estranha, e é certo que a desejam. Não sei como a conheceram e, portanto, ignoro a noção que dela têm. O que me preocupa é saber se essa noção reside na memória, pois, se é lá que reside, é sinal de que já fomos felizes alguma vez. Por ora não busco saber se todos fomos felizes individualmente, ou se o fomos naquele que pecou primeiro, e no qual todos morremos, e de quem nascemos na infelicidade. O que procuro saber é se a felicidade reside na memória, porque certamente não a amaríamos se não a conhecêssemos. Mal ouvimos esta palavra, e todos confessamos que desejamos a mesma coisa; e não é o som da palavra que nos deleita. Quando um grego a ouve pronunciar em latim, não se alegra, porque ignora seu sentido. Mas nós nos alegramos ao ouvi-la, como ele se a ouvisse em sua língua. A felicidade, com efeito, não é grega nem latina; mas gregos e latinos, assim como todos que falam outras línguas, desejam alcançá-la.

Logo, a felicidade é conhecida de todos; e se fosse possível perguntar-lhes a uma voz: "Quereis ser felizes?"

— todos, sem hesitar, responderiam que sim. E isso não aconteceria se a memória não tivesse em si a realidade, expressa por essa palavra.

☙ �֎ ❧

A memória do que nunca tivemos

Podemos comparar essa lembrança à que conserva de Cartago, quem a viu? Não, a felicidade não se vê com os olhos, pois não é corporal. Seria, pois, comparável à lembrança dos números? Também não, pois quem conhece os números não deseja adquiri-los. Pelo contrário, a ideia da felicidade nos inclina a amá-la e a querer possuí-la, para sermos felizes.

Lembramos dela, talvez, como lembramos da eloquência? Também não, embora ao ouvir essa palavra, muitos que não são eloquentes a associam à realidade que ela exprime, e desejariam obtê-la, o que indica que já têm ideia de eloquência. Foi, porém, pelos sentidos do corpo que ouviram a eloquência alheia, deleitando-se com ela, e desejando também ser eloquentes. E certamente não lhes daria prazer se já não tivessem uma ideia da eloquência, e nem a desejariam se esta não os tivesse deleitado. Mas a felicidade não a percebemos nos outros por nenhum sentido corporal.

Essa lembrança será porventura comparável à da alegria? Talvez, pois quando estou triste me lembro da alegria passada, e quando infeliz, lembro-me da felicidade. Ora, esta alegria, eu jamais a vi, ou ouvi, ou senti, ou saboreei, ou toquei; apenas a experimentei em minha alma quando me alegrei. E esta ideia se fixou em minha memória para que eu pudesse recordá-la, às vezes com desgosto, outras com saudades, conforme as circunstâncias que a geraram.

De fato, me senti invadido de alegria causada por ações torpes, cuja lembrança agora aborreço e abomino; outras vezes alegrei-me por ações boas e honestas, das quais me lembro com saudade; mas já pertencem ao passado, e evoco com tristeza minha antiga alegria.

Mas onde e quando, então, experimentei a felicidade para lembrar-me dela, para amá-la e desejá-la? Não sou eu apenas, ou alguns que a desejam; mas todos, sem exceção, queremos ser felizes. Sem uma noção precisa da felicidade, nossa vontade não teria essa firmeza.

Que significa isto? Se perguntarmos a dois homens se querem alistar-se no exército, talvez um responda que sim e o outro que não. Mas, perguntemos se desejam ser felizes, e ambos responderão que sim, sem nenhuma hesitação. E desejando um engajar-se, e o outro não, têm ambos a mesma finalidade: ser felizes. Um gosta disto, outro daquilo, mas ambos concordam em ser felizes, como seria unânime a resposta afirmativa a quem lhes perguntasse se querem estar alegres. Essa alegria é o que eles chamam de felicidade. E ainda que um siga por um caminho e outro por outro, a finalidade de todos é uma só: a alegria. Como a alegria é um sentimento do qual todos temos experiência, a encontramos em nossa memória, e a reconhecemos ao ouvir pronunciar a palavra felicidade.

CR ✄ ɛO

A verdadeira felicidade

Longe de mim, longe do coração de teu servo, Senhor, que a ti se confessa, a ideia de encontrar a felicidade não importa em que alegria! A felicidade é uma alegria que não é concedida aos ímpios, mas àqueles que te servem por puro amor: tu és essa alegria! Alegrar-se de ti, em ti e por ti: isso é felicidade.

E não há outra. Os que imaginam outra felicidade apegam-se a uma alegria que não é a verdadeira. Contudo, sempre há uma imagem da alegria da qual sua vontade não se afasta.

ॐ ✤ ॐ

Felicidade e verdade

Poderemos então concluir que nem todos desejam ser felizes, pois há aqueles que não querem buscar em ti sua alegria, tu que és a única felicidade? Ou talvez todos a queiram, mas, como a carne combate contra o espírito, e o espírito contra a carne, e com isso se contentam. Porque não querem com força bastante aquilo que não podem, para obtê-lo.

Pergunto a todos se preferem encontrar a alegria na verdade ou no erro; ninguém hesita em declarar que preferem a verdade, como em dizer que querem ser felizes. É que a felicidade é a alegria que provém da verdade. E essa alegria é a que nasce de ti, que és a própria Verdade, ó meu Deus, minha luz, saúde de meu rosto! Todos querem essa vida, a única feliz, essa alegria que se origina na verdade.

Encontrei muitos que gostam de enganar, mas ninguém que quisesse ser enganado. Onde, então, conheceram a felicidade, senão onde conheceram a verdade? Visto que não querem ser enganados, também amam a verdade, e desde que amam a felicidade, que nada mais é que a alegria proveniente da verdade, certamente também amam a verdade; e não a amariam se não retivessem dela, na sua memória, alguma noção. Por que, então, não se alegram com ela? Por que não são felizes? Porque se empolgam demais com outras coisas, que os tornam mais infelizes do que a verdade, de que se recordam fracamente, e que os faria felizes.

Há ainda um pouco de luz entre os homens: caminhem, caminhem, para que as trevas não os surpreendam.

PLATÃO • SCHOPENHAUER • AGOSTINHO • EPICURO   *Felicidade*

Mas por que a verdade gera o ódio? Por que os homens olham como inimigo aquele que a prega em teu nome, uma vez que amam a felicidade, que mais não é que a alegria nascida da verdade? Talvez por amarem a verdade de tal modo que tudo de diferente que amam, querem que seja verdade; e, não admitindo ser enganados, também não querem ser convencidos de seu erro. Desse modo, detestam a verdade por amarem aquilo que tomam pela verdade. Amam-na quando ela brilha, mas odeiam-na quando os repreende; e, como não querem ser enganados, mas enganar, eles a amam quando ela se manifesta, mas a odeiam quando ela os denuncia. Porém, ela os castiga; não querem ser descobertos pela verdade, mas esta os denuncia, sem que por isso se manifeste a eles.

É assim o coração do homem! Cego e lerdo, torpe e indecente: quer permanecer oculto, mas não quer que nada lhe seja ocultado. Em castigo, sucede-lhe o contrário: não consegue esconder-se da verdade, enquanto esta lhe continua oculta. Contudo, apesar de tão infeliz, prefere encontrar alegrias na verdade que no erro. Será, portanto, feliz quando, livre de perturbações, se alegrar somente na Verdade, origem de tudo o que é verdadeiro.

Epicuro
Impossível falar de felicidade e deixar Epicuro de fora...

Trechos de *Carta a Meneceu*

O Estudo da Filosofia

Meneceu
Que ninguém hesite em se dedicar à filosofia enquanto jovem, nem se canse de fazê-lo depois de velho,

123

porque ninguém jamais é demasiado jovem ou demasiado velho para alcançar a saúde do espírito. Quem afirma que a hora de dedicar-se à filosofia ainda não chegou, ou que ela já passou, é como se dissesse que ainda não chegou, ou que já passou a hora de ser feliz. Desse modo, a filosofia é útil tanto ao jovem quanto ao velho: para quem está envelhecendo sentir-se rejuvenescer por meio da grata recordação das coisas que já se foram, e para o jovem poder envelhecer sem sentir medo das coisas que estão por vir; é necessário, portanto, cuidar das coisas que trazem a felicidade, já que, estando esta presente, tudo temos, e, sem ela, tudo fazemos para alcançá-la. Pratica e cultiva então aqueles ensinamentos que sempre te transmiti, na certeza de que eles constituem os elementos fundamentais para uma vida feliz.

CR ✕ ED

Felicidade é saber viver com pouco

Consideramos ainda a autossuficiência um grande bem; não que devamos nos satisfazer com pouco, mas para nos contentarmos com esse pouco caso não tenhamos o muito, honestamente convencidos de que desfrutam melhor a abundância os que menos dependem dela; tudo o que é natural é fácil de conseguir; difícil é tudo o que é inútil. Os alimentos mais simples proporcionam o mesmo prazer que as iguarias mais requintadas, desde que se remova a dor provocada pela falta: pão e água produzem o prazer mais profundo quando ingeridos por quem deles necessita. Habituar-se às coisas simples, a um modo de vida não luxuoso, portanto, não só é conveniente para a saúde, como ainda proporciona ao homem os meios para enfrentar corajosamente as adversidades da vida: nos períodos em que conseguimos levar uma existência rica, predispõe o nosso ânimo para melhor aproveitá-la, e nos prepara para enfrentar sem temor as **vicissitudes da sorte**.

👉 **Felicidade para Epicuro não é possuir bens**, ou viver luxuosamente, nem, tampouco, satisfazer todos os desejos. A filosofia da felicidade de Epicuro é uma filosofia de restrição. Ele propõe que, para sermos felizes, precisamos renunciar a um monte de coisas. De fato, para Epicuro, felicidade é saber viver com pouco.

ℹ️ *Epicuro, autor desconhecido, séculos III e II a.C., técnica helenística.*

CR ✳ ED

Ninguém é Feliz sem ser Virtuoso... Putz, e agora?

Quando então dizemos que o fim último é o prazer, não nos referimos aos prazeres dos intemperantes ou aos que consistem no gozo dos sentidos, como acreditam certas pessoas que ignoram o nosso pensamento, ou não concordam com ele, ou o interpretam erroneamente, mas ao prazer que é ausência de sofrimentos físicos e de perturbações da alma. Não são, pois, bebidas nem banquetes contínuos, nem a posse de mulheres e rapazes, nem o sabor dos peixes ou das outras iguarias de uma mesa farta que tornam doce uma vida, mas um exame cuidadoso que investigue as causas de toda escolha e de toda rejeição e que remova as opiniões falsas em virtude das quais uma imensa perturbação toma conta dos espíritos. De todas essas coisas, a prudência é o princípio e o supremo bem, razão pela qual ela é mais preciosa do que a própria filosofia; é dela que originaram todas as demais virtudes; é ela que nos ensina que não existe vida feliz sem prudência, beleza e justiça, e que não existe prudência, beleza e justiça sem felicidade. Porque as virtudes estão intimamente ligadas à felicidade, e a felicidade é inseparável delas.

ભ ✼ ૭

Na sua opinião, será que pode existir alguém mais feliz do que o sábio, que tem um juízo reverente acerca dos deuses, que se comporta de modo absolutamente indiferente perante a morte, que bem compreende a finalidade da natureza, que discerne que o bem supremo está nas coisas simples e fáceis de obter, e que o mal supremo ou dura pouco, ou só nos causa sofrimentos leves? Que nega o destino, apresentado por alguns como o senhor de tudo, já que as coisas acontecem ou por necessidade, ou por acaso, ou por vontade nossa; e que a necessidade é incoercível, o acaso, instável, enquanto nossa vontade é livre, razão pela qual nos acompanham a censura e o louvor? Mais vale aceitar o mito dos deuses, do que ser escravo do destino dos naturalistas: o mito pelo menos nos oferece a esperança do perdão dos deuses por meio das homenagens que lhes prestamos, ao passo que o destino é uma necessidade inexorável. Entendendo que a sorte não é uma divindade, como a maioria das pessoas acredita (pois um deus não faz nada ao acaso), nem algo incerto, o sábio não crê que ela proporcione aos homens nenhum bem ou nenhum mal que sejam fundamentais para uma

vida feliz, mas, sim, que dela pode surgir o início de grandes bens e de grandes males. A seu ver, é preferível ser desafortunado e sábio, a ser afortunado e tolo; na prática, é melhor que um bom projeto não chegue a bom termo, do que chegue a ter êxito um projeto mau.

Justiça

Bengala que bate em Chico nem sempre bate em Francisco

Já parou pra pensar o quanto a justiça faz parte da sua vida? Então... é sinistro! Já imaginou se as pessoas pudessem sair por aí fazendo o que bem entendessem pra cima de todo mundo? Não ia rolar...

A justiça é um lance tão importante, que os gregos tinham até uma divindade, Astreia, que inspirava sentimentos de justiça entre os homens. Então, o que é justiça? Os debates filosóficos para responder a esta pergunta são longos e variados. Justiça tem a ver com determinar o direito de cada um. Justiça também tem a ver com imparcialidade, isto é, pra haver justiça tem que ter isenção de preconceitos e de favorecimento a um ou a outro grupo. A justiça que deve estabelecer os princípios e leis que regulam as relações entre as pessoas. Por isso, a justiça deve ser expressa pela lei verdadeira. Mas isso nem sempre acontece. O princípio da justiça é equidade, ou igualdade.

Manual de Sobrevivência Filosófico

Isso significa que todas as pessoas devem ter uma partilha equitativa do bem comum. Mas será que é assim mesmo? O que a gente vê por aí são instituições corruptas, leis tendenciosas e juízes parciais. Por isso, bengala que bate em Chico, tem de bater em Francisco. Só que não.

Hume

O filósofo e historiador David Hume (1711-1776) nasceu em Edimburgo, Reino Unido, numa família nobre. Desde cedo ele se interessou por filosofia. Só que a família fez a maior pressão para ele estudar Direito. Ele até tentou, a contragosto, mas não concluiu o curso. Então, passou a escrever e teve um começo de carreira meio errático. Viajou, tentou o comércio, depois foi secretário de um general em missões diplomáticas. Em 1744, ele se candidatou a uma cadeira de Filosofia em Edimburgo, só que se deu mal: acusado de ateísmo, não foi nomeado. Uma vez mais, candidatou-se à cadeira de lógica em Glasgow, para substituir Adam Smith, e de novo foi recusado, acusado de ceticismo, teísmo e ateísmo. Pois é, não queriam que ele ensinasse suas ideias para jovens desavisados e influenciáveis. Finalmente, conseguiu ser nomeado bibliotecário da faculdade de Direito.

Foi só em 1763, quando voltou à França como secretário da embaixada, que foi reconhecido por causa do impacto das coisas que tinha escrito. Em Paris, Hume foi acolhido pela elite intelectual parisiense e ficou amigo de Rousseau. A partir daí, Hume ficou de boa. Voltou à Inglaterra e tornou-se subsecretário de Estado (1767-1768). No ano seguinte (1769) regressou então a Edimburgo, onde permaneceu até sua morte.

Algumas ideias de Hume: o homem não pode criar ideias, pois todos os nossos conhecimentos vêm dos sentidos;

as verdades da ciência são da ordem da probabilidade, de modo que ela só consegue atingir certezas morais, isto é, como nem sempre as mesmas causas produzem os mesmos efeitos, é conveniente que toda certeza seja substituída pela probabilidade; o ceticismo é condição da tolerância e da coexistência pacífica entre os homens.

Trechos de *Investigação Sobre os Princípios da Moral*

O primeiro livro de Hume foi o Tratado da Natureza Humana, *publicado em 1739, quando ele tinha só 28 anos. Esse livro resume a contribuição de Hume à filosofia, com suas teses sobre teoria do conhecimento e moral. Depois, ele resolveu desenvolver suas ideias de um jeito mais simples em textos autônomos.* Investigação Sobre os Princípios da Moral, *lançado em 1751, faz parte desse projeto. O livro é uma espécie de síntese de uma discussão que influenciou a Inglaterra, na primeira metade do século 18, sobre as bases do comportamento moral das pessoas na vida em sociedade.*

Suponha-se que uma sociedade tombe em uma carência tão grande de todas as coisas comumente necessárias para se viver a ponto de o máximo esforço e frugalidade não serem capazes de impedir a morte da maioria das pessoas e a extrema miséria de todas elas. Numa tal emergência, creio que se admitirá prontamente que as leis estritas da justiça estarão suspensas, em favor dos motivos mais fortes da necessidade e da autopreservação. Seria porventura um crime, após um naufrágio, agarrar-se a qualquer meio ou instrumento de salvação em que pudéssemos pôr as mãos sem preocupar-se com as anteriores limitações decorrentes do direito de propriedade? Ou, se uma cidade sitiada estiver perecendo de fome, poderíamos imaginar que as pessoas, tendo diante de si qualquer meio de preservação, iriam perder sua vida em virtude de uma escrupulosa consideração para com aquilo que, em outras situações, seria a regra da equidade e da justiça? O uso e o fim dessa virtude é proporcionar felicidade e segurança pela preservação da ordem na sociedade, mas, quando a sociedade está prestes a sucumbir de extrema penúria, não há nenhum mal maior a temer da violência e da injustiça, e cada homem está livre para cuidar de si próprio por todos os meios que a prudência lhe ditar ou seus sentimentos humanitários permitirem. O povo, mesmo em circunstâncias menos calamitosas, abre celeiros sem o consentimento dos proprietários, supondo com razão que a autoridade da magistratura pode, de forma consistente com a equidade, chegar até esse ponto. Mas, se uma semelhante partilha de pão em uma condição de fome fosse realizada por um certo número de homens reunidos sem os vínculos das leis ou da jurisdição civil, poderíamos considerar esse ato como criminoso ou injusto, ainda que realizado por meio da força e mesmo da violência?

(...)

As regras da equidade ou da justiça dependem, portanto, inteiramente do estado e situação particulares em que os homens se encontram, e devem sua origem e existência à utilidade que proporcionam ao público pela sua observância estrita e regular. Contrarie-se, em qualquer aspecto relevante, a condição dos homens; produza-se extrema abundância ou extrema penúria; implante-se no coração humano perfeita moderação e humanidade ou perfeita rapacidade e malícia: ao tornar a justiça totalmente inútil, destrói-se totalmente sua essência e suspende-se sua obrigatoriedade sobre os seres humanos.

A condição ordinária da humanidade é um meio-termo entre esses extremos. Somos naturalmente parciais em relação a nós mesmos e nossos amigos, mas somos capazes de compreender a vantagem resultante de uma conduta mais equânime. Poucos prazeres nos são dados pela mão aberta e liberal da natureza, mas pela técnica, trabalho e diligência, podemos extraí-los em grande abundância. Por isso, as ideias de propriedade tornaram necessárias em toda sociedade civil, é disso que a justiça deriva sua utilidade para o público; e é só desse fato que decorre seu mérito e seu caráter moralmente obrigatório.

👉 **O método que ele usava era chamado de "maiêutica"**, que em grego tem a ver com "parto". Ou seja: com suas perguntas, Sócrates fazia o sujeito "parir" uma ideia. Por isso, Sócrates dizia que ele era como sua mãe, que era parteira de profissão. Só que ele era parteiro das ideias. Este trecho traz um ótimo exemplo do método maiêutico.

❶ *Busto de Sócrates, autor desconhecido, século I, escultura de mármore.*

Platão

Trecho de *A República*

*Uma contribuição importante na discussão sobre Justiça vem, claro, de Platão pela fala de Sócrates. Nesse trecho, Sócrates desenvolve uma ideia sobre justiça, lançada por Simônides nesta conversa. Daí Simônides precisa sair pra fazer alguns sacrifícios e Sócrates fica discutindo a questão com Polemarco. O trecho é meio compridinho, mas é bem legal, porque mostra como Sócrates desenvolvia uma ideia para chegar à conclusão correta. O método que ele usava era chamado de "**maiêutica**", que em grego tem a ver com "parto". Ou seja: com suas perguntas, Sócrates fazia o sujeito "parir" uma ideia. Por* *isso, Sócrates dizia que ele era como sua mãe, que era parteira. Só que ele era parteiro das ideias.*

Sócrates — Explique-nos, já que és o herdeiro da discussão, que foi que disse Simônides de tão correto a respeito da justiça?

Polemarco — Que é justo devolver aquilo que devemos. Julgo ser esta asserção correta.

Sócrates — Evidentemente, é impossível não dar razão a Simônides, homem sábio e divino. Não obstante, tu, Polemarco, deves saber o significado do que ele diz, ao passo que eu o ignoro. Está claro que Simônides não se expressou a respeito do que falávamos, sobre restituir a uma pessoa algo do qual nos foi confiada a guarda, sendo que essa pessoa veio a perder a razão. Contudo, devemos ou não restituir um objeto do qual foi-nos confiada a guarda?

Polemarco — Claro que devemos.

Sócrates — Mas de forma alguma deve ser restituído se quem o reclamar tiver perdido a razão?

Polemarco — Com certeza.

Sócrates — Então, parece-me que Simônides quer dizer outra coisa quando afirma ser justo que restituamos o que devemos.

Polemarco — Certamente que se trata de outra coisa, por Zeus! Na opinião dele, deve-se fazer sempre o bem aos amigos, nunca o mal.

Sócrates — Compreendo. Não é lícito devolver a uma pessoa o ouro do qual ela nos confiou a guarda, se essa devolução lhe for prejudicial, e se os que o restituem forem seus amigos. É isto que quis dizer Simônides?

Polemarco — Exatamente.

Sócrates — E aos inimigos? Devemos restituir algo que por acaso estamos lhes devendo?

Polemarco — Com certeza. Pois, em meu entendimento, o que um inimigo deve a outro é, logicamente, o que lhe convém: o mal.

Sócrates — Logo, Simônides se expressou por enigmas, como usam fazer os poetas, ao declarar o que entendia por justiça. Aparentemente, para ele, é justo restituir a cada um o que lhe convém, considerando isso restituir o que é devido.

Polemarco — Perfeitamente.

Sócrates — Por Zeus! Portanto, se alguém lhe perguntasse: "ó Simônides, a quem e o que dá de devido e conveniente a arte que é denominada medicinal". Em teu entender, que resposta ele daria?

Polemarco — Evidentemente, que dá remédios, alimentos e bebidas aos doentes.

Sócrates — E a quem dá o que é devido e próprio a arte da culinária?

Polemarco — Temperos aos alimentos.

Sócrates — Certo. Agora, a quem e o que dá a arte que chamamos de justiça?

Polemarco — De acordo com o que afirmamos anteriormente, ela dá benefícios aos amigos e prejuízo aos inimigos.

Sócrates — Logo, o que Simônides entende ser justiça é ajudar os amigos e prejudicar os inimigos?

Polemarco — É o que me parece.

Sócrates — E quem tem mais possibilidade de ajudar os amigos que sofrem e prejudicar os inimigos, no que concerne à doença e à saúde?

Polemarco — O médico.

Sócrates — E aos navegantes, relativamente aos perigos numa viagem no mar?

Polemarco — O piloto.

Sócrates — E quanto ao homem justo? Em que circunstância e como ele pode ajudar os amigos e prejudicar os inimigos?

Polemarco — Penso que seja na guerra, lutando contra uns e aliando-se aos outros.

Sócrates — Muito bem. Contudo, amigo Polemarco, o médico é inútil para as pessoas sadias.

Polemarco — Concordo.

Sócrates — E o piloto também o é para os que não estão navegando.

Polemarco — Claro.

Sócrates — E o homem justo, seria igualmente inútil para aqueles que não estão guerreando?

Polemarco — Com isto eu não concordo.

Sócrates — Portanto, a justiça é útil também durante a paz?

Polemarco — Sim.

Sócrates — Isto também vale para a agricultura, não é verdade?

Polemarco — É.

Sócrates — Para conseguirmos os produtos da terra?

Polemarco — Sim.

Sócrates — E, logicamente, também a arte do sapateiro?

Polemarco — Também.

Sócrates — Para podermos conseguir sapatos, certo?

Polemarco — Claro que sim.

Sócrates — Então, com qual objetivo de uso ou posse de que objeto a justiça é útil em tempo de paz?

Polemarco — Para os contratos comerciais, Sócrates.

Sócrates — Por contratos comerciais queres dizer as associações ou outro tipo de contrato?

Polemarco — As associações.

Sócrates — Sendo assim, quem é mais útil no jogo: o justo ou aquele que sabe jogar bastante bem?

Polemarco — Aquele que joga bem.

Sócrates — E quem é mais útil para assentar tijolos e pedras: o justo ou o pedreiro?

Polemarco — Lógico que é o pedreiro.

Sócrates — Então, em qual associação julgas o justo mais útil que o pedreiro e o citarista, da mesma forma que o citarista o é em relação ao justo na arte da música?

Polemarco — Creio que nos assuntos monetários.

Sócrates — Exceção feita, talvez, Polemarco, para usar o dinheiro, por exemplo, na ocasião de adquirir ou vender um cavalo em sociedade. Nesse caso, seria mais útil um tratador de cavalos, não achas?

Polemarco — Parece-me que sim.

Sócrates — E a respeito de um navio, também é mais útil o construtor ou o piloto, concordas?

Polemarco — Sim.

Sócrates — Sendo assim, em qual circunstância, em que for necessário usar dinheiro ou ouro em sociedade, o homem justo é mais útil que qualquer outro?

Polemarco — Na circunstância de desejarmos fazer um depósito em segurança, Sócrates.

Sócrates — Mas isso significa: quando não utilizamos o dinheiro e preferimos deixá-lo imobilizado. Certo?

Polemarco — Sem dúvida.

Sócrates — Logo, a justiça só é útil quando o dinheiro for inútil?

Polemarco — Creio que sim.

Sócrates — Então, no caso de precisarmos guardar uma podadeira, a justiça é útil tanto do ponto de vista comum como particular; contudo, se precisarmos usá-la, é mais útil a arte de cultivar a vinha?

Polemarco — Parece que sim.

Sócrates — Tu concluis, portanto, que, se quisermos guardar um escudo e uma lira, sem usá-los, a justiça é útil; porém, se desejarmos nos servir deles, é mais útil a arte do soldado e do músico.

Polemarco — Necessariamente.

Sócrates — Por conseguinte, a respeito de todas as outras coisas, a justiça é inútil quando nos servimos dela e útil quando não nos servimos?

Polemarco — Penso que sim.

Sócrates — Logo, meu amigo, a justiça é muito pouco importante, se ela se aplica somente a coisas inúteis. Mas vamos examinar o seguinte: em um combate ou numa luta qualquer, o homem mais capaz de desferir golpes é também o mais capaz de se defender?

Polemarco — Sem dúvida.

Sócrates — E o mais capaz em preservar-se de uma doença não é também o mais capaz em transmiti-la secretamente?

Polemarco — Creio que sim.

Sócrates — Mas não é bom guarda de um exército aquele que furta aos inimigos os seus segredos e os seus planos?

Polemarco — Não resta dúvida.

Sócrates — Por conseguinte, o hábil guardião de uma coisa é também o hábil ladrão dessa mesma coisa.

Polemarco — Parece que sim.

Sócrates — Logo, se o homem justo é hábil em guardar dinheiro, o será também em furtá-lo.

Polemarco — Teu raciocínio leva a essa conclusão.

Sócrates — Portanto, o justo apresenta-se como uma espécie de ladrão, e penso que tu aprendeste isto

com Homero. De fato, este poeta enaltece o avô materno de Ulisses, Autólico, dizendo que excedia a todos os homens no furto e no perjúrio. Logo, parece que a justiça, na tua opinião, na de Homero e Simônides, corresponde a uma determinada arte de furtar, porém a favor dos amigos e em prejuízo dos inimigos. Não era isso que tu dizias?

Polemarco — Claro que não! Não sei mais o que eu dizia. No entanto, continuo afirmando que a justiça se resume em ser útil aos amigos e prejudicial aos inimigos.

Sócrates — Mas tu chamas de amigos aqueles que os outros reputam honestos ou aqueles que o são de verdade, apesar de não o parecerem, e da mesma forma os inimigos?

Polemarco — É natural apreciarmos os que julgamos honestos e detestar os que consideramos maus.

Sócrates — Mas os homens não podem se enganar, julgando honestas pessoas que não o são e vice-versa?

Polemarco — Sim, podem.

Sócrates — Logo, para os que se enganam, os honestos são inimigos e os desonestos, amigos?

Polemarco — Sem dúvida.

Sócrates — E, apesar disso, reputam justo ser útil aos desonestos e prejudicial aos honestos?

Polemarco — Parece que sim.

Sócrates — Contudo, os honestos e bons são justos e não têm capacidade de cometer injustiças.

Polemarco — Concordo.

Sócrates — Logo, de acordo com o teu raciocínio, é justo prejudicar os que não cometem injustiças.

Polemarco — De forma alguma, Sócrates, pois o teu raciocínio está errado.

Sócrates — Então, é justo prejudicar os maus e ajudar os bons?

Polemarco — Essa conclusão é bem melhor que a precedente.

Sócrates — Então, para numerosas pessoas, Polemarco, que se enganaram a respeito dos homens, a justiça significará prejudicar os amigos — sendo que possuem amigos maus — e ajudar os inimigos — os quais, em verdade, são bons. E, sendo assim, afirmaremos o contrário do que imputávamos a Simônides.

Polemarco — Sem dúvida, parece que é isso mesmo. Mas façamos uma correção, pois corremos o risco de não havermos feito uma precisa definição de amigo e inimigo.

Sócrates — E de que maneira os definimos, Polemarco?

Polemarco — Amigo é aquele que parece honesto.

Sócrates — E de que maneira corrigiremos a definição?

Polemarco — Amigo é aquele que parece e realmente é honesto. Aquele que parece honesto, mas não é, apenas aparenta ser amigo, sem sê-lo. A definição é a mesma a respeito do inimigo.

Sócrates — Por conseguinte, de acordo com o teu raciocínio, amigo é o indivíduo bom e inimigo, o mau?

Polemarco — Exatamente.

Sócrates — Então, queres que acrescentemos ao que dissemos anteriormente a respeito da justiça que é justo ajudar o amigo e prejudicar o inimigo. Agora, devemos também afirmar que é justo ajudar o amigo bom e prejudicar o inimigo mau?

Polemarco — Precisamente. Dessa maneira parece-me bem explicado.

Sócrates — Logo, é peculiar ao justo prejudicar a quem quer que seja?

Polemarco — Não há dúvida de que devemos prejudicar os maus que são nossos inimigos.

Sócrates — E se fazemos mal aos cavalos, eles se tornam melhores ou piores?

Polemarco — Piores.

Sócrates — Relativamente à virtude dos cães ou à dos cavalos?

Polemarco — A dos cavalos.

Sócrates — Então, quanto aos cães a que fizermos mal, eles se tomarão piores em relação à virtude dos cães, e não à dos cavalos?

Polemarco — Exatamente.

Sócrates — E quanto aos homens a quem se faz mal, podemos também afirmar que se tomam piores conforme a virtude humana?

Polemarco — Isso mesmo.

Sócrates — Mas a justiça não é virtude especificamente humana?

Polemarco — Sim.

Sócrates — Por conseguinte, meu amigo, os homens contra quem se pratica o mal tornam-se obrigatoriamente piores.

Polemarco — Concordo.

Sócrates — Por acaso, é possível a um músico, por intermédio de sua arte, tornar outras pessoas ignorantes em música?

Polemarco — Isso é impossível.

Sócrates — E, por intermédio da arte equestre, pode um cavaleiro tornar outras pessoas incapazes de montar?

Polemarco — Também é impossível.

Sócrates — Mas, por meio da justiça, é possível que um justo torne alguém injusto? Ou, de forma geral, pela virtude, os bons podem transformar os outros em maus?

Manual de Sobrevivência Filosófico

Polemarco — Não podem.

Sócrates — Realmente, creio que ao calor não é dado esfriar, e sim o contrário.

Polemarco — Justamente.

Sócrates — Nem à aridez é dado umedecer, mas o contrário.

Polemarco — Não há dúvida.

Sócrates — Nem ao homem bom ser mau, mas o contrário.

Polemarco — E o que parece.

Sócrates — Portanto, o homem justo é bom?

Polemarco — Evidentemente.

Sócrates — Então, Polemarco, não é adequado a um homem justo prejudicar seja a um amigo, seja a ninguém, mas é adequado ao seu oposto, o homem injusto.

Polemarco — Estás dizendo a pura verdade, Sócrates.

Sócrates — Por conseguinte, se alguém declara que a justiça significa restituir a cada um o que lhe é devido, e se por isso entende que o homem justo deve prejudicar os inimigos e ajudar os amigos, não é sábio quem expõe tais ideias. Pois a verdade é bem outra: que não é lícito fazer o mal a ninguém e em nenhuma ocasião.

Polemarco — Estou de pleno acordo.

Rousseau

Trechos de *Discurso Sobre a Origem e os Fundamentos da Desigualdade Entre os Homens*

A ausência da bondade não implica maldade, podendo o homem zelar pela sua conservação sem prejudicar ao outro.

HUME • PLATÃO • ROUSSEAU   *Justiça*

(...)
A maior justiça é fazer o bem com o menor mal possível **ao outro**.
(...)
É, pois, bem certo que a piedade é um sentimento natural que, moderando em cada indivíduo a atividade do amor de si mesmo, concorre para a conservação mútua de toda a espécie. É ela que nos leva sem reflexão em socorro daqueles que vemos sofrer; é ela que, no estado de natureza, faz as vezes de lei, de costume e de virtude, com a vantagem de que ninguém é tentado a desobedecer à sua doce voz; é ela que impede todo selvagem robusto de arrebatar a uma criança fraca ou a um velho enfermo sua subsistência adquirida com sacrifício, se ele mesmo espera poder encontrar a sua alhures; é ela que, em vez desta máxima sublime de justiça raciocinada, Faze ao outro o que queres que te façam, inspira a todos os homens esta outra máxima de bondade natural, bem menos perfeita, porém mais útil, talvez, do que a precedente: Faze o teu bem com o menor mal possível ao outro. Em uma palavra, é nesse sentimento natural, mais do que em argumentos sutis, que é preciso buscar a causa da repugnância que todo homem experimentaria em fazer mal, mesmo independentemente das máximas da educação. Embora possa competir a Sócrates e aos espíritos da sua têmpera adquirir a virtude pela razão, há muito tempo que o gênero humano não mais existiria se a

☞ **Esta noção de justiça apresentada por Rousseau** contrapõe o ideal aristotélico, que afirma ser a equidade a base da justiça. "Ora, se injustiça é iniquidade, então a justiça é igualdade, coisa que é aceita por todos sem ser necessária demonstração", escreveu o filósofo estagirita em *Ética a Nicômaco*.

❶ *Alegoria da Justiça*, Lucas Cranach, 1537, óleo sobre tela.

145

sua conservação tivesse dependido exclusivamente dos raciocínios dos que o compõem.

☙ ✻ ❧

Da cultura das terras resulta necessariamente a sua partilha, e, da propriedade, uma vez reconhecida, as primeiras regras de justiça: porque, para dar a cada um o seu, é preciso que cada um possa ter alguma coisa; de resto, como os homens começassem a levar suas vistas para o futuro, vendo todos que tinham alguns bens que perder, não houve nenhum que não receasse para si a represália dos males que pudesse causar ao outro. Essa origem é tanto mais natural quanto é impossível conceber a ideia da propriedade surgindo fora da mão de obra; porque não se vê o que, para se apropriar das coisas que não fez, possa o homem acrescentar-lhe além do seu trabalho. Só o trabalho, dando direito ao cultivador sobre o produto da terra que lavrou, lhe dá por conseguinte sobre o fundo, pelo menos até a colheita, e assim todos os anos; e isso, constituindo uma posse contínua, transforma-se facilmente em propriedade. Quando os antigos, diz Grotius, deram a Ceres o epíteto de legisladora, e a uma festa celebrada em sua honra o nome de tesmofória, fizeram entender, por isso, que a partilha das terras produziu uma nova espécie de direito, isto é, o direito de propriedade, diferente do que resulta da lei natural.

☙ ✻ ❧

Antes de terem sido inventados os sinais representativos da riqueza, estas só podiam consistir em terras e em animais,

os únicos bens reais que os homens poderiam possuir. Ora, quando as herdades foram crescendo em número e em extensão, a ponto de cobrirem o solo inteiro e se tocarem todas, umas não puderam mais crescer senão à custa de outras, e os extranumerários, que a fraqueza ou a indolência tinham impedido de adquiri-las por sua vez, tornados pobres sem ter perdido nada, porque, tudo mudando em torno deles, só eles não tinham mudado, foram obrigados a receber ou a roubar a subsistência das mãos dos ricos; e, daí, começaram a nascer, segundo os diversos caracteres de uns e de outros, a dominação e a servidão, ou a violência e as rapinas. Os ricos, por seu turno, mal conheceram o prazer de dominar, desdenharam em breve todos os outros, e, servindo-se dos seus antigos escravos para submeter novos, não pensaram senão em subjugar e escravizar os vizinhos, como lobos esfaimados que, tendo experimentado a carne humana, desdenham qualquer outra nutrição e não querem mais devorar senão homens. Foi assim que os mais poderosos ou os mais miseráveis, fazendo de suas forças ou de suas necessidades uma espécie de direito ao bem de outro, equivalente, segundo eles, ao da propriedade, a igualdade rompida foi seguida da mais horrível desordem; e assim que as usurpações dos ricos, os assaltos dos pobres, as paixões desenfreadas de todos, sufocando a piedade natural e a voz ainda mais fraca da justiça, tornaram os homens avarentos, ambiciosos e maus. Levantava-se, entre o direito do mais forte e o direito do primeiro ocupante, um conflito perpétuo que só terminava por meio de combates e morticínios. A sociedade nascente foi praça do mais horrível estado de guerra: o gênero humano, aviltado e desolado, não podendo mais voltar atrás, nem renunciar às infelizes aquisições já obtidas, e não trabalhando senão para a sua vergonha pelo abuso das faculdades que o honram, se colocou também na véspera de sua ruína.

O marechal de Villars contava que, em uma de suas campanhas, as excessivas ladroeiras de um comissário de víveres tendo feito sofrer e murmurar o exército, ele o repreendeu rudemente e o ameaçou mandar enforcá-lo. "Essa ameaça nada tem que ver comigo", respondeu-lhe ousadamente o velhaco. "E me é muito fácil dizer-lhe que não se enforca um homem que dispõe de cem mil escudos". "Não sei como foi", acrescenta ingenuamente o marechal, "mas, com efeito, ele não foi enforcado, embora tivesse merecido cem vezes o castigo."

A justiça distributiva se oporia mesmo a essa igualdade rigorosa do estado de natureza, quando fosse praticável na sociedade civil; e, como todos os membros do Estado lhe devem serviços proporcionais aos seus talentos e às suas forças, os cidadãos, por sua vez, devem ser distinguidos e favorecidos à proporção dos seus serviços. É nesse sentido que é preciso compreender uma passagem de Isócrates na qual louva ele os primeiros atenienses por terem sabido bem distinguir qual era a mais vantajosa das duas espécies de igualdade, uma das quais consiste em conceder as mesmas vantagens a todos os cidadãos indiferentemente, e a outra em distribuí-las segundo o mérito de cada um. Esses hábeis políticos, acrescenta o orador, banindo essa injusta igualdade que não estabelece nenhuma diferença entre os maus e os bons, apegaram-se inviolavelmente àquela que recompensa e pune cada um segundo o seu mérito. Mas, primeiramente, jamais existiu sociedade, por maior

HUME • PLATÃO • ROUSSEAU

Justiça

que tenha sido o grau de corrupção a que tivesse podido chegar, na qual não se fizesse nenhuma diferença entre os maus e os bons; e, em matéria de costumes, em que a lei não pode fixar medida bastante exata para servir de regra ao magistrado, é muito sabiamente que, para não deixar a sorte ou a posição dos cidadãos à sua discrição, ela lhe não permite o julgamento das pessoas, para só lhe deixar o das ações. Não há costumes tão puros, como os dos antigos romanos, que possam suportar censores; e semelhantes tribunais logo teriam transtornado tudo entre nós. Cabe à estima pública estabelecer a diferença entre os maus e os bons. O magistrado só é juiz do direito rigoroso: mas, o povo é o verdadeiro juiz dos costumes, juiz íntegro e mesmo esclarecido sobre esse ponto, do qual se abusa algumas vezes, porém que jamais se consegue corromper. As posições dos cidadãos devem, pois, ser reguladas, não segundo o seu mérito pessoal, o que seria deixar ao magistrado o meio de fazer uma aplicação quase arbitrária da lei, mas segundo os serviços reais que prestam ao Estado, e que são suscetíveis de uma estimação mais exata.

Liberdade

"*Libertas Quae Sera Tamen*": Liberdade nem que seja à tardinha... Ops! Acho que meu latim não tá tão bom!

A Filosofia pensou muito sobre a Liberdade. É que a Liberdade é uma coisa exclusivamente humana. Já se ligou nisso? Nenhum animal é livre na medida em que segue apenas seus impulsos instintivos. No humano, o lance complica. É que nós somos capazes de fazer escolhas — para o bem ou para o mal. Diante de um fato que exige uma ação da nossa parte, somos capazes de parar, refletir e escolher. E isso tem, é claro, uma implicação política bem forte. O que é liberdade numa sociedade? Até que ponto o sujeito pode ser livre? A liberdade de escolha também tem um impacto individual poderoso. Você já leu, lá em cima, que para Sartre a Liberdade de fazer escolhas leva à Angústia. A falta de Liberdade também provoca Angústia. Mas o que é liberdade no entender dos filósofos?

Vejamos...

Kant

Um trechinho de *Crítica da Faculdade de Julgar*

Somente através do que o homem faz sem consideração do gozo, em inteira liberdade e independentemente do que a natureza também passivamente poderia proporcionar-lhe, confere ele um valor absoluto à sua existência {*dasein*}, enquanto existência {*existenz*} de uma pessoa; e a felicidade com a inteira plenitude das suas amenidades não é de modo nenhum um bem incondicionado.

(...)

Tocqueville

Apesar de ter nascido na nobreza, era, mais precisamente, um visconde. Alexis de Tocqueville (1805-1859) foi um grande defensor da liberdade individual e da igualdade política — algo cada vez mais questionado nestes nossos tempos de retrocesso. Parece até contradição um nobre defender a liberdade e a igualdade, principalmente um cujos pais escaparam por pouco da guilhotina.

Mas Tocqueville era mesmo ligado em liberdade. É o principal tema desse político que ficou famoso como pensador. Para ele, a liberdade era "o prazer de poder falar, agir, respirar sem constrangimento sob o único Deus e de suas leis", e "quem procura na liberdade outra coisa que não ela própria foi feito para a servidão". Mas ele avisou que a democracia iria evoluir para uma coisa parecida com uma ditadura da maioria e que ela pode promover comportamentos individualistas que poderiam prejudicar a sociedade como um todo.

Trechos de *O Antigo Regime e a Revolução*

O amor pela liberdade política é o valor mais elevado na concepção política de Tocqueville, como ele comenta em seu livro O Antigo Regime e a Revolução.

As pequenas nações sempre foram o berço da liberdade política. Aconteceu de a maioria delas perder essa liberdade ao crescer; o que mostra bem que a liberdade se devia à exiguidade do povo e não ao próprio povo.
(...)
(...) muitas vezes cheguei a me perguntar onde estaria a fonte desta paixão pela liberdade política que, em todos os tempos, levou os homens a realizar as maiores coisas que a humanidade cumpriu e em que sentimentos está se enraizando e alimentando.
[...]. Não me peçam para analisar um gosto sublime, que é preciso sentir. Entra por si mesmo nos grandes corações que Deus preparou para recebê-lo, enchendo-os e inflamando-os. Temos de renunciar a explicá-lo às almas medíocres que nunca o sentiram. (...) Tampouco creio que o verdadeiro amor da liberdade jamais tenha sido gerado pela única visão dos bens materiais que oferece, pois esta visão muitas vezes fica turvada [...]. Os povos que nela [na liberdade] só apreciam estes bens nunca a conservaram por muito tempo.
(...)

Da Democracia na América

Da Democracia na América *é a obra-prima de Tocqueville, escrita entre 1835 e 1840. Aqui, Tocqueville analisa a democracia e a vida social e política dos Estados Unidos por meio da discussão da liberdade e da igualdade. Para Tocqueville,*

Manual de Sobrevivência Filosófico

👉 **Existe uma diferença entre a liberdade** individual e a liberdade política. Com relação ao sujeito, ser livre é a capacidade de agir por si mesmo, de se autodeterminar e de ter autonomia. Mas a liberdade política tem a ver com o exercício da cidadania dentro dos limites da lei – afinal, conforme nos lembra o velho e bom Herbert Spencer (1820 – 1903), "a liberdade de cada um termina onde começa a liberdade do outro". Assim, a liberdade política é a possibilidade de o indivíduo exercer, numa sociedade, os direitos individuais clássicos, como o direito do voto, liberdade de opinião, de culto, etc.

❶ *Liberdade guiando o povo*, Eugène Delacroix, 1830, óleo sobre tela.

o desenvolvimento gradual da igualdade tem características universais e escapa ao controle humano. Segundo o filósofo, o poder da democracia é tão grande que, depois de ter desbancado o feudalismo, nunca mais será coagido, nem mesmo pela burguesia. A igualdade de condições, segundo ele, cria novos hábitos tanto para os governantes quanto para os governados. E é justamente a desigualdade que assola o Brasil. Tocqueville chama a atenção para o fato de o povo ter soberania nos Estados Unidos. O fato de o povo escolher diretamente seus representantes comprova sua soberania.

Quanto a mim, duvido que o homem possa suportar ao mesmo tempo uma completa independência religiosa e uma inteira liberdade política; e sou levado a pensar que, se ele não tem fé, tem de servir e, se for livre, tem de crer.
(...)
A **liberdade** manifestou-se aos homens em diferentes tempos e formas; ela não se prendeu exclusivamente a um estado social e podemos encontrá-la fora das democracias. Portanto, ela não poderia constituir o caráter distintivo dos tempos democráticos.
(...)
Os homens que têm a paixão pelos gostos materiais descobrem, via de regra, como as agitações da liberdade perturbam o bem-estar, antes de perceber como a liberdade serve para proporcioná-lo.
(...)

O que censuro a mais no governo democrático tal como é organizado nos Estados Unidos não é. Como o pretendem muitos na Europa, a sua fragilidade, mas, pelo contrário, a sua força irresistível. E o que mais me repugna, na América, não é a extrema liberdade que ali reina, mas a pouca garantia que ali se tem contra a tirania.

(...)

Na verdade, é difícil imaginar como poderiam homens que renunciaram inteiramente ao hábito de se dirigir por si mesmos conseguir escolher bem aqueles que os devem conduzir; e nada fará acreditar que um governo liberal, enérgico e sábio jamais possa sair do sufrágio de um povo de servos.

(...)

Vejo que, dessa maneira, conserva-se a intervenção individual nos assuntos mais importantes, suprimindo-a, contudo, nos pequenos e particulares. Esquece-se que é principalmente no detalhe que é perigoso sujeitar os homens. Eu tenderia a crer a liberdade menos necessária nas grandes coisas do que nas pequenas, se pensasse que se pudesse ter uma garantida sem possuir a outra. A sujeição nos pequenos assuntos se manifesta todos os dias e se faz sentir indistintamente em todos os cidadãos. Ela não os desespera, mas os contraria sem cessar e leva-os a renunciar ao uso de sua vontade. Ela extingue pouco a pouco o espírito deles e esmorece sua alma, ao passo que a obediência, que só é devida num número de circunstâncias gravíssimas, mas raras, só mostra a servidão de longe em longe e só a faz pesar sobre certos homens. É inútil encarregar esses mesmos cidadãos, que foram tornados tão dependentes do poder central, de escolher de vez em quando os representantes desse poder; esse uso tão importante, mas tão curto e tão raro, de seu livre-arbítrio, não impedirá que percam pouco a pouco a faculdade de pensar, de sentir e de agir por si mesmos e que caiam assim gradualmente abaixo do nível da humanidade.

La Boétie

Éttiene de La Boétie morreu muito jovem, aos 32 anos, em 1563. Mesmo assim, deixou sua marca na história da filosofia por causa de um texto que escreveu quando ainda era estudante de Direito, em Paris, o *Discurso sobre a servidão voluntária*. La Boétie nem chegou a publicar o escrito, porque tinha medo das consequências, mas o manuscrito circulou nas universidades e foi o que bastou para ficar famoso. Na real, por causa do *Discurso*, La Boétie foi um dos fundadores da filosofia política francesa.

La Boétie foi muito amigo de outro filósofo da época, Michel de Montaigne. Eles eram tão chegados, que La Boétie deixou seus escritos em testamento para Montaigne. Já Montaigne disse que La Boétie era um dos maiores homens do século 16.

Trechos de *Discurso Sobre a Servidão Voluntária*

La Boétie tinha apenas 18 anos quando escreveu esse texto, uma supercrítica muito sacada à tirania. E, apesar de ter sido escrito por um cara tão jovem, é uma reflexão muito madura. O Discurso é um ensaio sobre a liberdade, igualdade e fraternidade humanas séculos antes da Revolução Francesa. Entre outras coisas, ele mostra nesse livro que a tirania acontece em toda parte, especialmente onde a autoridade política se faz passar por política. La Boétie explica também como um só homem — o tirano — consegue subjugar todo um povo por meio de uma rede de intermediários. Desse jeito, "o tirano escraviza os súditos uns por meio dos outros". Sinistro...

Por ora, gostaria apenas de entender como pode ser que tantos homens, tantos burgos, tantas cidades, tantas nações suportam, às vezes, um tirano só, que tem apenas o poderio que eles lhe dão, que não tem o poder de prejudicá-los senão enquanto têm vontade de suportá-lo, que não poderia fazer-lhes mal algum senão quando preferem tolerá-lo a contradizê-lo. Coisa extraordinária, por certo; e, porém, tão comum que se deve mais lastimar-se do que espantar-se ao ver um milhão de homens servir miseravelmente, com o pescoço sob o jugo, não obrigados por uma força maior, mas de algum modo (ao que parece) encantados e enfeitiçados apenas pelo nome de um (...)

(...)
Os teatros, os jogos, as farsas, os espetáculos, os gladiadores, os bichos estranhos, as medalhas, os quadros e outras drogas que tais eram para os povos antigos as iscas da servidão, o preço de sua liberdade, as ferramentas da tirania. Os tiranos antigos tinham este meio, esta prática, estes atrativos para adormecer seus súditos sob o jugo. Assim, achando bonitos esses passatempos, entretidos por um prazer vão que passava diante de seus olhos, os povos abobados acostumavam-se a servir tão tolamente e até pior do que as criancinhas que aprendem a ler vendo as brilhantes imagens dos livros iluminados.

(...)
Os tiranos romanos descobriram ainda um outro ponto: dar festas frequentes para as decúrias públicas (...) Os tiranos prodigalizavam um quarto de trigo, um sesteiro de

vinho e um sestércio; e então dava pena ouvir gritar: Viva o rei! Os broncos não percebiam que apenas recobravam parte do que era seu e que até mesmo no que recobravam o tirano não lhes teria dado se antes não lhes tivesse tirado. O que hoje tinha apanhado o sestércio e se empanturrado no festim público abençoando Tibério e Nero e sua bela liberalidade, no dia seguinte, obrigado a abandonar seus bens à cobiça deles, seus filhos à luxúria, seu próprio sangue à crueldade desses magníficos imperadores, ficava mudo como uma pedra e imóvel como um tronco. O povo sempre teve isto: ao prazer que não pode receber honestamente, é de todo aberto e dissoluto (...)

(...)

Chamaremos isso de covardia? ... Se cem, se mil aguentam os caprichos de um único homem, não deveríamos dizer que eles não querem e que não ousam atacá-lo, e que não se trata de covardia e sim de desprezo ou desdém? Se não vemos cem, mil homens, mas cem países, mil cidades, um milhão de homens se recusarem a atacar um só, de quem o melhor tratamento fornecido é a imposição da escravidão e da servidão, como poderemos nomear isso? Será covardia? ... Quando mil ou um milhão de homens, ou mil cidades, não se defendem da dominação de um homem, isso não pode ser chamado de covardia, pois a covardia não chega a tamanha ignomínia... Logo, que monstro de vício é esse que ainda não merece o título de covardia, que não encontra um nome feio o bastante...?

(...)

Disponham-se de um lado cinquenta homens armados e outros tantos de outro lado; ponham-se em ordem de batalha, prontos para o combate, sendo uns livres e lutando pela liberdade, enquanto os outros tentam

arrebatá-la dos primeiros: a quais deles, por conjectura, se atribui a vitória? Quais deles irão para a luta com maior entusiasmo: os que, em recompensa deste trabalho, receberão o prêmio de conservar a liberdade ou os que, dos golpes que derem ou receberem, esperam tão-somente a servidão?

Os primeiros têm constantemente diante dos olhos a felicidade de sua vida passada, a esperança de no porvir a poderem conservar. Preocupa-os menos os que têm de sofrer no decurso da batalha do que tudo o que vão ter de suportar eles, os filhos e toda a posteridade. Os outros nada têm que os anime, a não ser um pouco de cobiça que é insuficiente para protegê-los do perigo e tão pouco ardente, que não tardará a extinguir-se logo que derramem as primeiras gotas de sangue.

Nas muito famosas batalhas de Milcíades, Leônidas e Temístocles, travadas há já dois mil anos e que permanecem tão frescas na memória dos livros e dos homens como se tivessem acontecido ontem, nessas batalhas travadas na Grécia para bem da Grécia e exemplo do mundo inteiro, donde terá vindo aos gregos escassos não digo o poder mas o ânimo para se oporem à força de navios tão numerosos que mal cabiam no mar? E para desbaratarem nações tão numerosas que em toda a armada grega não se achariam soldados que chegassem para preencherem, se tal fosse mister, os postos de comandantes desses navios?

É que, em boa verdade, o que estava em causa nesses dias gloriosos não era tanto a luta entre gregos e persas como a vitória da liberdade sobre a dominação, da razão sobre a cupidez. Quantos prodígios temos ouvido contar sobre a valentia que a liberdade põe no coração dos que a defendem!

Mas o que acontece, afinal, em todos os países, com todos os homens, todos os dias?

Quem, só de ouvir contar, sem o ter visto, acreditaria que um único homem tenha logrado esmagar mil cidades, privando-as da liberdade?

Se casos tais acontecessem apenas em países remotos e outros nos contassem, quem não diria que era tudo invenção e impostura?

Ora, o mais espantoso é sabermos que nem sequer é preciso combater esse tirano, não é preciso defendermo-nos dele.

Ele será destruído no dia em que o país se recuse a servi-lo.

Não é necessário tirar-lhe nada, basta que ninguém lhe dê coisa alguma. Não é preciso que o país faça coisa alguma em favor de si próprio, basta que não faça nada contra si próprio.

São, pois, os povos que se deixam oprimir, que tudo fazem para serem esmagados, pois deixariam de ser no dia em que deixassem de servir.

É o povo que se escraviza, que se decapita, que, podendo escolher entre ser livre e ser escravo, se decide pela falta de liberdade e prefere o jugo, é ele que aceita o seu mal, que o procura por todos os meios.

Se fosse difícil recuperar a liberdade perdida, eu não insistiria mais; haverá coisa que o homem deva desejar com mais ardor do que o retorno à sua condição natural, deixar, digamos, a condição de alimária e voltar a ser homem?

Mas não é essa ousadia o que eu exijo dele; limito-me a não lhe permitir que ele prefira não sei que segurança a uma vida livre.

Que mais é preciso para possuir a liberdade do que simplesmente desejá-la? Se basta um ato de vontade, se basta desejá-la, que nação há que a considere assim tão difícil?

Como pode alguém, por falta de querer, perder um bem que deveria ser resgatado a preço de sangue? Um bem que, uma vez perdido, torna, para as pessoas honradas, a vida aborrecida e a morte salutar?

Loucura

... mas você
pode me
chamar
de vida!

Loucura é uma alienação total do mundo. O cara não é capaz de interagir com os outros. Também falta de juízo, insensatez. Mas também pode ser extravagância, entusiasmo insano, paixão desmedida. Por causa desse último entendimento, Gilles Deleuze disse que as pessoas só têm charme na sua loucura. É ela que faz cada um de nós perder as estribeiras, enfim, pirar. Deleuze diz ainda que, se não formos capazes de captar aquela semente de loucura na pessoa, não somos capazes de amá-la. É esse lado que nos torna originais, únicos, peculiares.

Hannah Arendt afirmou que a gente tem três atividades fundamentais, isto é, coisas que fazem de nós seres humanos: labor, trabalho e ação. Labor é a atividade do corpo que nos mantém vivos e funcionando. Trabalho é a atividade de transformar o mundo para sobreviver, de fazer coisas artificiais para isto. E a ação corresponde à nossa condição de pluralidade.

E essa pluralidade vem do fato de sermos únicos. Cada um de nós quer ser o que é, independentemente das regras e costumes. Esse jeito diferentão daqueles que vão além das convenções é visto como loucura. Tipo: "o cara é louco". Não, ele está sendo ele. Loucura não é simplesmente a incapacidade de interagir com os outros, com a sociedade e com o mundo, mas tem muito a ver com o que o sujeito tem de próprio, só dele.

Erasmo já tem outro ponto de vista. Ele enfatiza que o lado da loucura tem a ver com a insensatez das pessoas, com suas contradições. Sabe aquela história do cara que se diz vegano, mas come carne e afirma que tudo bem ser vegano e comer carne? Ou do cristão racista a favor da pena de morte? Ou do mestiço racista? Então, é esse tipo de insensatez que Erasmo zoa numa das sátiras mais loucas da história da filosofia.

Erasmo

O teólogo e filósofo humanista holandês Desidério Erasmo (c.1466-1536) tentou, com suas ideias e escritos, convencer os príncipes a desempenhar seu papel de forma cristã, o que, em seguida, resultaria em paz e a harmonia. Utopia? Bom, vale lembrar que Erasmo era amigo de Thomas Morus, o cara que escreveu um livro chamado *Utopia*, que deu origem a esse termo.

O objetivo idealista de Erasmo era o de regenerar a Europa, imprimindo à ética europeia um ideal evangélico. Para pregar essa utopia de que os líderes governam para o bem comum, ele apelou para a deusa Loucura. Ao virem os príncipes, nobres e padres receber o elogio da loucura, as fichas das pessoas cairiam. Pode até ser que algumas

fichas de algumas pessoas tenham caído, mas a humanidade continua a mesma...

Trecho de *Elogio da Loucura*

A sátira Elogio da Loucura, *dedicada a seu amigo Thomas Morus, é a obra-prima de Erasmo. Escrita em 1509 e publicada em 1511, virou um dos mais influentes livros da civilização ocidental e foi um dos textos que levaram à Reforma Protestante. O livro começa com um aspecto satírico para depois tomar um tom mais sombrio e passa então a uma crítica irônica dos abusos supersticiosos da doutrina católica e das supostas práticas corruptas da Igreja Católica Romana. O ensaio termina com um testamento claro e, por vezes, emocionante dos ideais cristãos.*

Esse livro levou Erasmo a se aproximar de Martinho Lutero. Na real, Erasmo tinha um grande respeito por Lutero e vice-versa. Lutero esperava obter ajuda de Erasmo na reforma protestante. Na sua troca de correspondência inicial, Lutero expressou uma intensa admiração por tudo o que Erasmo tinha feito pela causa de um cristianismo saudável e razoável e encorajou-o a unir-se ao movimento. Mas Erasmo saiu fora de qualquer compromisso, argumentando que ao se associar a Lutero colocaria em risco a sua posição como líder de um movimento por uma sabedoria pura, o que ele via como o objetivo de sua vida. Apenas como um acadêmico independente poderia ele aspirar a influenciar a reforma da religião. Mesmo assim, a influência da sua tradução da Bíblia para o latim influenciou Lutero de tal forma, que Erasmo acabou sendo associado ao protestantismo.

Em razão de suas posições controversas, Erasmo ficou mal tanto com os católicos como com os protestantes. A partir de então, seus últimos anos de vida foram ofuscados por controvérsias amargas com pessoas para quem ele seria normalmente simpático. Após a sua morte, como reação da Igreja Católica Romana, os seus escritos foram colocados no Index dos livros proibidos.

O espírito do homem é feito de maneira que lhe agrada muito mais a mentira do que a verdade. Faça essa experiência: vá à igreja, quando aí estão a pregar. Se o pregador trata de assuntos sérios, o auditório dorme, boceja e se aborrece, mas se, de repente, o zurrador (perdão, o pregador), como aliás é frequente, começa a contar uma história de comadres, toda a gente desperta e presta a maior das atenções.

(...)

Não haveria, assim, diferença alguma entre os sábios e os loucos, se não fossem mais felizes estes últimos. Sim, porque estes o são por dois motivos: o primeiro é que a felicidade dos loucos não custa nada, bastando um pouquinho de persuasão para formá-la; o segundo é que os meus loucos são mais felizes mesmo quando estão juntos com muitos outros. Ora, é impossível gozar um bem quando se está sozinho.

(...)

É a natureza, que, procedendo com sabedoria, deu às crianças um certo ar de loucura, pelo qual elas obtêm a redução dos castigos dos seus educadores e se tornam merecedoras do afeto de quem as tem ao seu cuidado. Ama-se a primeira juventude que se sucede à infância, sente-se prazer em ser-lhe útil, iniciá-la, socorrê-la.

(...)

De fato, que mais poderia convir à Loucura do que ser o arauto do próprio mérito e fazer ecoar por toda parte os seus próprios louvores? Quem poderá pintar-me com mais fidelidade do que eu mesma? Haverá, talvez, quem reconheça melhor em mim o que eu mesma não reconheço? De resto,

esta minha conduta me parece muito mais modesta do que a que costuma ter a maior parte dos grandes e dos sábios do mundo. É que estes, calcando o pudor aos pés, subornam qualquer panegirista adulador, ou um poetastro tagarela, que, à custa do ouro, recita os seus elogios, que não passam, afinal, de uma rede de mentiras. E, enquanto o modestíssimo homem fica a escutá-lo, o adulador ostenta penas de pavão, levanta a crista, modula uma voz de timbre descarado comparando aos deuses o homenzinho de nada, apresentando-o como modelo absoluto de todas as virtudes, muito embora saiba estar ele muito longe disso, enfeitando com penas não suas a desprezível gralha, esforçando-se por alvejar as peles da Etiópia, e, finalmente, fazendo de uma mosca um elefante. Assim, pois, sigo aquele conhecido provérbio que diz: Não tens quem te elogie? Elogie a você mesmo.

(...)

Deixo indecisa a questão de saber se é possível um bom banquete sem mulheres. O que é certo é que mesa alguma nos pode agradar sem o condimento da loucura. E tanto isso é verdade que, quando nenhum dos convidados se julga maluco ou, pelo menos, não finge sê-lo, é pago um bobo, ou convidado um engraçado filante que, com suas piadas, suas brincadeiras, suas bobagens, expulse da mesa o silêncio e a melancolia. Com efeito, que nos adiantaria encher o estômago com tão suntuosas, esquisitas e apetitosas iguarias, se os olhos, os ouvidos, o espírito e o coração não se nutrissem também de diversões, risadas e agradáveis conceitos? Ora, sou eu a inventora exclusiva de tais delícias. Teriam sido, porventura, os sete sábios da Grécia os descobridores de todos os prazeres de um banquete, como sejam tirar a sorte para se saber quem deve ser o rei da mesa, jogar dado, beberem todos no mesmo copo, cantar um de cada

Manual de Sobrevivência Filosófico

⇨ **Cantar com um ramo de murta na mão** era um costume dos antigos gregos: o primeiro a cantar pegava um ramo de murta e, ao terminar, entregava-o ao vizinho, que fazia o mesmo, e assim até o último convidado.

ℹ *Perséfone e Hades*, autor desconhecido, 480-450 a.C., peça de cerâmica.

vez com o **ramo de murta na mão**, e dançar, pular, ficar em várias atitudes? Decerto que não: somente eu podia inventá-los, para a felicidade do gênero humano. Todas as coisas são de tal natureza que, quanto mais abundante é a dose de loucura que encerram, tanto maior é o bem que proporcionam aos mortais. Sem alegria, a vida humana nem sequer merece o nome de vida. Mergulharíamos na tristeza todos os nossos dias, se com essa espécie de prazeres não dissipássemos o tédio que parece ter nascido conosco.

(...)

Dizei-me se, entre tantos votos religiosos de reconhecimento que vedes cobrindo por completo as paredes e as abóbadas das igrejas, já vistes pendurado um único de reconhecimento por cura milagrosa de loucura. Decerto que não: os homens não costumam importunar os santos para obter uma graça dessa natureza. Daí resulta que, por maior que seja a sua devoção, nunca se tornam nem um pouquinho mais sábios. Eis por que, enquanto se veem, suspensos dos altares, ex-votos relativos a toda sorte de graças recebidas, nenhum se encontra, todavia, que se refira a um caso curado de loucura. Aquele pendurou um ex-voto por se ter salvo a nado quando julgava naufragar; este, porque não morreu de um grave ferimento recebido numa briga; um outro, porque, enquanto os outros caíam prisioneiros do inimigo, conseguiu subtrair-se ao perigo, graças a uma feliz e valorosa fuga; aquele outro, porque, tendo sido

Loucura

condenado à forca como prêmio às suas boas ações, caiu do laço, graças a algum santo dos larápios, a fim de que, pior do que antes e em virtude da caridade do próximo, voltasse a roubar os que tivessem a bolsa muito cheia de dinheiro; um outro, por ter recuperado a liberdade rompendo as grades da prisão; outro por se ter restabelecido facilmente de uma febre muito grave, com grande mágoa do médico, que esperava fazer uma cura mais longa e mais lucrativa; este, porque, em lugar da morte, encontrou remédio no veneno que lhe fora dado, enquanto sua mulher, que já suspirava pelo momento da libertação, ficou na maior amargura por ter falhado o golpe; outro, porque, tendo caído com seu carro, não teve receio algum e pôde reconduzir à casa, sãos e salvos, os cavalos; aquele, porque, tendo ficado soterrado num desabamento, conseguiu salvar-se sem nada sofrer; outro, finalmente, porque, tendo sido pilhado em flagrante pelo marido de sua bela, saiu da enrascada com a maior desenvoltura. Ora, bem vedes que ninguém deu graças a Deus, ou à Virgem, ou a qualquer santo, por ter recuperado o juízo. A loucura tem tantos atrativos para os homens, que, de todos os males, é ela o único que se estima como um bem.

(...)

Segundo a definição dos estoicos, o sábio é aquele que vive de acordo com as regras da razão prescrita, e o louco, ao contrário, é o que se deixa arrastar ao sabor de suas paixões. Eis por que Júpiter, com receio de que a vida do homem se tornasse triste e infeliz, achou conveniente aumentar muito mais a dose das paixões que a da razão, de forma que a diferença entre ambas é pelo menos de um para vinte e quatro. Além disso, relegou a razão para um estreito cantinho da cabeça, deixando todo o resto do corpo presa das desordens e da confusão. Depois, ainda não satisfeito com isso, uniu Júpiter à razão, que está sozinha, duas fortíssimas paixões, que são como dois impetuosíssimos tiranos: uma é a Cólera, que domina o coração, centro das vísceras e fonte da vida; a outra é a Concupiscência, que estende o seu império desde a mais tenra juventude até a idade mais madura. Quanto ao que pode a razão contra esses dois tiranos, demonstra-o bem a conduta normal dos homens. Prescreve os deveres da honestidade, grita contra os vícios a ponto de ficar rouca, e é tudo o que pode fazer; mas os vícios riem-se de sua rainha, gritam ainda mais forte e mais imperiosamente do que ela, até que a pobre soberana, não tendo mais fôlego, é constrangida a ceder e a concordar com os seus rivais.

Schopenhauer

Trechos de *O Mundo Como Vontade e Como Representação*

Que a genialidade e a loucura possuem um lado pelo qual se encontram, e até se confundem, já foi observado com frequência, e mesmo o entusiasmo artístico já foi denominado uma espécie de loucura: *arnabilis insania* lhe chamou Horácio (Odisseia, III, 4) e Holder Wahnsinn (adorável loucura), Wieland na introdução ao Oberon. Conforme Sêneca (De Tranquilitate Anirni, 15, 16), mesmo Aristóteles afirmou: *Nuilum niagnum ingenium sine mixtura dementiae fuit.* (3) Platão o exprimiu no mito da caverna, abordado mais acima (De República, 7), dizendo: Aqueles que, no exterior da caverna, enxergaram a verdadeira luz do sol e os objetos verdadeiramente existentes (as ideias),

ERASMO • SCHOPENHAUER

não conseguem mais enxergar na caverna, pois seus olhos se desacostumaram da escuridão, não conseguem mais reconhecer bem as silhuetas, e por seus enganos são motivos de zombaria por parte dos outros, que nunca se afastaram desta caverna e destas silhuetas. Também em Fedro ele afirma que sem uma certa loucura não existiria nenhum legítimo poeta, que qualquer um que conhece as ideias eternas nas coisas transitórias apareceria como **louco**.

(...)

Uma visão clara e completa da essência da loucura, um conceito preciso e nítido do que diferencia propriamente o louco do homem são, a meu saber ainda não se encontrou. Nem razão, nem entendimento podem ser negados aos loucos, pois eles falam e entendem, com frequência raciocinam com justeza; também, via de regra, encaram o presente corretamente e reconhecem a conexão entre causa e efeito. Visões, assim como os delírios febris, não são um sintoma usual da loucura. O delírio falsifica a intuição; a loucura, os pensamentos. Na maior parte das vezes os loucos não erram no conhecimento do presente imediato, mas suas divagações referem-se sempre ao ausente e passado, e somente por este intermédio com o presente. Por isto sua doença me parece atingir em especial a memória; não de um modo tal que esta lhes seja inteiramente ausente, pois muitos deles sabem muitas coisas de memória e por vezes reconhecem pessoas, que não

✍ **A palavra loucura não é mais usada** na linguagem médica, a não ser em algumas poucas expressões. A psiquiatria moderna classificou as doenças mentais em neuroses e psicoses, mas de modo geral o termo "loucura" pode ser entendido como a perda da razão. O escritor inglês G.K. Chesterton (1874 – 1936) dizia o contrário. Para Chesterton, apelidado de "o príncipe do paradoxo", definia o louco como "aquele que perdeu tudo menos a razão".

ⓘ *Pinel delivre les fous de leurs chaînes*, Philippe Pinel, 1876, óleo sobre tela.

viam de há muito; mas de forma tal que o fio da memória está rompido, o contínuo encadeamento da mesma está ausente, sendo impossível qualquer recordação uniformemente conexa. Cenas isoladas do passado se situam de modo correto, assim como o presente individual; porém em sua recordação há lacunas, que então preenchem com ficções, que ou são sempre as mesmas, tornando-se ideias fixas (trata-se então de fantasias fixas, melancolia), ou são sempre ideias diferentes, momentâneas (seu nome então é demência, Fatuitas). Por esse motivo é tão difícil inquirir o curso da vida precedente de um louco, à sua entrada no hospício. Então sempre mais se confunde em sua memória o verdadeiro com o falso. Embora a realidade imediata seja percebida com exatidão, ela é falsificada pela conexão simulada com um passado imaginado: consideram então a si próprios e a outros como idênticos com pessoas, localizadas unicamente em seu passado fictício, não reconhecem mais muitas pessoas de seu relacionamento, possuindo, em uma representação correta do presente individual, apenas relações falsas do mesmo, com o passado. Atingindo a loucura um grau elevado, se produz uma total ausência de memória, sendo então o louco incapaz de qualquer consideração com algo ausente ou passado, sendo determinado unicamente pela disposição momentânea, em conexão com as ficções, preencher o passado em sua cabeça: a menos que se demonstre constante superioridade, não se está a seguro de maus-tratos e assassinato de sua parte. O conhecimento do louco possui em comum com o do animal o serem ambos limitados ao presente: contudo o que os distingue é o seguinte: o animal não tem propriamente uma representação do passado como tal, embora este atue sobre o animal por meio do hábito; assim por exemplo, o cão reconhece, mesmo

após anos, o seu antigo dono, i. e., obtém a partir de sua visão a impressão costumeira; mas do tempo decorrido ele não possui recordação; o louco, pelo contrário, conserva em sua razão sempre um passado *in abstracto*, porém falso, existindo somente para ele, e isto sempre, ou apenas agora. A influência deste falso passado prejudica, assim, mesmo a utilização do presente corretamente reconhecido, feita com justeza pelo animal. Que o padecimento espiritual intenso, acontecimentos terríveis imprevistos, frequentemente provocam loucura, eu explico da maneira seguinte: todo sofrimento desse tipo sempre está limitado, como acontecimento real, ao presente, portanto é somente passageiro e nesta medida suportável; torna-se grande em excesso apenas como dor permanente, mas, como tal, é novamente apenas um pensamento situando-se na memória; quando então uma tal mágoa, um saber ou lembrança, tão doloroso, é a tal ponto penoso que se torna insuportável, ameaçando o indivíduo de destruição, então a natureza a tal ponto aterrorizada recorre à loucura como ao último meio de salvação da vida; o espírito tão atormentado rompe o fio de sua memória, preenche as lacunas com ficções e se refugia do espiritual que ultrapassa suas forças na loucura, assim como se amputa um membro gangrenado, substituindo-o por um artificial.

Moral

e maus
costumes...
ops, bons!!!

A moral é uma coisa muito ligada à ética, mas tem diferenças. A palavra "ética" deriva do grego e tem a ver com os costumes estabelecidos e aceitos. Já a palavra "moral" vem da tradução do termo grego para o latim. Só que a filosofia faz diferença entre ética e moral. A moral tem mais a ver com as leis e as regras, e a ética com os princípios que justificam essas leis e regras. A ética está, por isso, acima da moral. Tipo assim: a ética diz que matar outro ser humano é um ato hediondo. Já a moral justifica assassinar outros seres humanos numa guerra, por exemplo. Isso quer dizer então que, muitas vezes, pra sermos éticos precisamos ser imorais. Caraca, que nó!

A ética, que sustenta a moral, é um dos principais temas de especulação filosófica, e muitos pensadores escreveram sobre esse problema. Aqui, quatro autores fundamentais refletem sobre a moral e, por consequência, sobre a ética.

Nietzsche

Esse livro de Nietzsche é muito fera, porque propõe uma moral que não se limita simplesmente ao certo ou errado, bom ou mau. O filósofo da marreta quer uma moral que esteja acima dessas limitações, uma moral que nos permita realizar plenamente nossa humanidade.

Trechos de *Além do Bem e do Mal*

Toda a psicologia manteve-se vinculada, até hoje, a preconceitos e apreensões de ordem moral; não ousou adentrar em suas profundezas. Concebê-la, como eu o faço, sob as espécies de uma morfologia e de uma genética da vontade de potência, é uma ideia que ninguém abordou nem mesmo superficialmente, suponho que, partindo do que se escreveu, seja possível adivinhar o que permaneceu em silêncio. A poderosa força dos preconceitos morais penetrou profundamente no círculo da espiritualidade pura, aparentemente a mais fria e desprovida de ideias preconcebidas e, como é natural, influiu nela — de modo prejudicial — uma ação paralisadora, deslumbrante e deformante. Uma psicofisiologia autêntica se choca contra resistências inconscientes no coração do investigador. A simples teoria da interdependência dos instintos "bons" e "maus" parece um refinamento de imoralidade e desperta o perigo e o desgosto inclusive numa consciência valente e vigorosa. E a desgosto é maior ante a doutrina que faz derivar os bons instintos dos maus. Admitindo, todavia, que existe alguém que chega a considerar como paixões essenciais da vida ao ódio, inveja, cobiça e comando, como princípios fundamentais da vida, como

algo que li, a economia de vida deve existir fundamental e essencialmente e que por conseguinte deve ser ainda intensificado se deseja intensificar a vida, este homem sofrerá algo como um enjoo devido à orientação de seu próprio juízo. Contudo esta hipótese não é mais penosa e a mais estranha, neste imenso domínio quase virgem do conhecimento, do qual todos têm mil e uma boas razões para se manterem a distância..., se podem. Nosso barco sofre a tormenta! Serremos os dentes! Vigilantes! Firmes no leme! Naveguemos em linha reta acima da moral! Porém, apesar de tudo decidisses conduzir vossa nau a essas praias, então só vos resta o remédio de manter esse valor, ficar alerta e manter firme o timão. Que importa nosso destino! Nunca até 34 agora encontraram os navegantes, intrépidos e aventureiros — um mar de conhecimentos mais profundos e o psicólogo que faz tais "sacrifícios" (este não é o *sacrilizio dell'intelletto*) reclamará como próprio o direito de que a psicologia seja de novo instaurada como rainha das ciências, aquela à qual as demais ciências têm a "obrigação" de servir e preparar, pois a psicologia se converteu de novo no caminho que condiz aos problemas fundamentais.

(...)

A característica do maior período da história da humanidade — a pré-história — foi valorar uma ação segundo suas consequências. O próprio ato importava tão pouco quanto suas origens, mais ou menos como acontece, hoje em dia, na China, onde os filhos recebem honra ou vergonha como herança dos pais; era o efeito retroativo do êxito ou do fracasso o que induzia a pensar bem ou mal de uma ação. Convenhamos, pois, que aquele foi o

Manual de Sobrevivência Filosófico

👉 **Máxima maior de Sócrates**. O historiador da filosofia Giovanni Reali afirmou que "toda doutrina socrática pode ser resumida nessas proposições convergentes: 'conhecer a si mesmo' e 'cuidar de si mesmo'. E conhecer 'a si mesmo' não quer dizer conhecer o próprio nome nem o próprio corpo, mas examinar-se interiormente e conhecer a própria alma; assim como o cuidar de si mesmo não quer dizer cuidar do próprio corpo, mas da própria alma".

ℹ️ *Fachada do Museu Nacional de Antropologia em Madri, Espanha, inaugurado em 29 de abril de 1875.*

período pré-moral da humanidade. O imperativo **"conhece-te a ti mesmo"** era, pelo contrário, desconhecido. No decurso dos últimos dez anos, mudou-se o caminho e agora o valor é atribuído não às consequências da ação, mas às suas causas. Isto representa um acontecimento importante, produto de um grande refinamento do juízo, o efeito distante e inconsciente dos valores aristocráticos, da crença nas "origens", o sinal distintivo de um período que poderíamos denominar de período moral da humanidade, definitivamente o primeiro passo para o conhecimento de si mesmo. Por isso a ação ocorre ao inverso, e em lugar de se procurarem as consequências, trata-se de encontrar a origem. Que inversão de perspectiva! Uma inversão que é fruto de longas lutas e prolongadas atribuições, mas, na verdade, uma nova superstição de funestas consequências, uma singular estreiteza de interpretação, que chegou para dominar atravessando este caminho. Atribuiu-se à origem de um ato, no sentido mais estrito do termo, a uma intenção e se esteve de acordo com a crença de que o valor de um ato reside no valor de sua intenção. A intenção era por si só a origem e a pré-história da ação; e por este preconceito se diferenciaram até nossos dias o louvor e a censura, formularam-se juízos e inclusive se filosofou. Hoje não deveríamos sentir a necessidade de uma inversão total dos valores, graças a um novo retorno sobre nós mesmos, a uma nova sondagem do homem? Não chegamos ao princípio de um novo período ao qual se qualifica, negativamente desde o começo, de extramoral, posto que entre nós, pelo menos, imoralistas, se começa a entrever que o valor decisivo de um ato reside precisamente no que tem de não intencional, e que tudo o que tem de intencional, tudo o que se pode ver ou saber dele, tudo que forma sua superfície e sua epiderme que, como toda epiderme, é mais o que oculta que o que desvela? Resumindo, vemos que a intenção nada mais é que um signo e um sintoma que tem necessidade de ser interpretado, um signo carregado de demasiadas significações para ter uma única para ele. Mantemos a opinião de que a moral, tal como foi concebida até hoje, a moral das intenções foi um preconceito, um juízo precipitado e provisório que a coloca no mesmo lugar que a astrologia e a alquimia e em todo caso, algo que deve ser superado. A superação da moral e o triunfo desta sobre si mesma seria a denominação da larga e misteriosa tarefa reservada às consciências mais sutis e mais corretas e também às malignas da atualidade, estas viventes pedras de toque da alma.

Espinosa

Trechos de *Ética*

Escólio (Da proposição 9)
   Por meio desse poder de ordenar e concatenar corretamente as afecções do corpo, podemos fazer com que não sejamos facilmente afetados por maus afetos. Com efeito (pela prop. 7), requer-se, para refrear os afetos ordenados e concatenados segundo a ordem própria do intelecto, uma força maior do que a requerida para refrear os afetos

imprecisos e erráticos. Portanto, o melhor que podemos fazer, enquanto não temos um conhecimento perfeito de nossos afetos, é conceber um princípio correto de viver, ou seja, regras seguras de vida, confiá-las à memória, e aplicá-las continuamente aos casos particulares que, com frequência, se apresentam na vida, para que nossa imaginação seja, assim, profundamente afetada por elas, de maneira que estejam sempre à nossa disposição.

Por exemplo, estabelecemos, entre as regras de vida (vejam-se a prop. 46 da p. 4, juntamente com seu esc.), que o ódio deve ser combatido com o amor ou com a generosidade, em vez de ser retribuído com um ódio recíproco. Entretanto, para que esse preceito da razão esteja sempre à nossa disposição quando dele precisamos, deve-se pensar e refletir sobre as ofensas costumeiras dos homens, bem como sobre a maneira e a via pelas quais elas podem ser mais efetivamente rebatidas por meio da generosidade.

Ligaremos, assim, a imagem da ofensa à imaginação dessa regra, e ela estará sempre à nossa disposição (pela prop. 18 da p. 2) quando nos infligirem uma tal ofensa. Pois, se também tivemos à disposição o princípio de nossa verdadeira utilidade, assim como a do bem que se segue da amizade mútua e da sociedade comum; e se consideramos, além disso, que a suprema satisfação do ânimo provém do princípio correto de viver (pela prop. 52 da p. 4); e que os homens agem, como as outras coisas, em virtude da necessidade da natureza; então a ofensa — ou seja, o ódio que costuma dela provir — ocupará uma parte mínima da imaginação e será facilmente superado. Por outro lado, se a ira, que costuma provir das ofensas mais graves, não é, por esse motivo, facilmente superada, será, entretanto, também superada, embora não sem flutuações de ânimo, em um

intervalo de tempo muito menor do que se não tivéssemos, previamente, assim refletido sobre essas coisas, como é evidente pelas prop. 6, 7 e 8. Do mesmo modo, para acabar com o medo é preciso pensar com firmeza, quer dizer, é preciso enumerar e imaginar, com frequência, os perigos da vida e a melhor maneira de evitá-los e superá-los por meio da coragem e da fortaleza. Deve-se observar, entretanto, que ao ordenar nossos pensamentos e imaginações, devemos levar sempre em consideração (pelo corol. da prop. 63 da p. 4 e pela prop. 59 da p. 3) aquilo que cada coisa tem de bom, para que sejamos, assim, sempre determinados a agir segundo o afeto da alegria. Por exemplo, se alguém percebe que busca excessivamente a glória, deve pensar na sua correta utilização, com que fim ela deve ser buscada e por quais meios pode ser adquirida; e não no seu mau uso, na sua vacuidade e na inconstância dos homens, ou em coisas desse tipo, nas quais ninguém pensa a não ser que tenha um ânimo doentio. Com efeito, esses pensamentos são os que mais afligem os mais ambiciosos, quando perdem a esperança de conseguir a honra que ambicionam.

Esses, ao mesmo tempo que vomitam a sua ira, querem passar por sábios. Pois é certo que os que mais desejam a glória são os que mais bradam contra o seu mau uso e a vacuidade do mundo. E isso não é exclusividade dos ambiciosos, mas comum a todos aqueles para os quais a sorte é adversa e que têm o ânimo impotente. Com efeito, o pobre que, além disso, é também avaro, não para de falar do abuso do dinheiro e dos defeitos dos ricos, não conseguindo, com isso, senão afligir-se e mostrar aos outros que suporta sem equanimidade não apenas sua pobreza, mas também a riqueza alheia. Da mesma maneira, também os que foram mal acolhidos por sua amante não pensam senão na inconstância, na perfídia e nos outros proclamados defeitos das mulheres, todos os quais são imediatamente esquecidos tão logo são de novo acolhidos pela amante. Assim, quem tenta regular seus afetos e apetites exclusivamente por amor à liberdade, se esforçará, tanto quanto puder, por conhecer as virtudes e as suas causas, e por encher o ânimo do gáudio que nasce do verdadeiro conhecimento delas e não, absolutamente, por considerar os defeitos dos homens, nem por humilhá-los, nem por se alegrar com uma falsa aparência de liberdade. Quem observar com cuidado essas coisas (na verdade, elas não são difíceis) e praticá-las poderá, em pouco tempo, dirigir a maioria de suas ações sob o comando da razão.

Schopenhauer

Trecho do livro 4 de *Mundo Como Vontade e Representação*

A diferença que acabamos de fazer ressaltar entre o animal e o homem quanto ao modo pelo qual os motivos agem sobre eles exerce também a maior influência sobre o seu ser em geral, e constitui o elemento principal dessa diferença profunda e muito aparente que lhes separa o gênero de vida. O animal é sempre movido por alguma representação intuitiva. O homem, ao contrário, esforça-se continuamente por deixar à margem tal maneira de motivação e por deixar-se determinar unicamente pelas representações abstratas; utiliza-se, assim, com a maior vantagem do seu privilégio da razão, torna-se independente do momento, e, em lugar de escolher o prazer fugaz ou de fugir à dor passageira, reflete nas suas consequências. Na maior parte dos casos, salvo nas ações insignificantes, nos determinam motivos abstratos, meditados, e não as impressões da hora. Qualquer privação isolada, portanto, nos resulta bastante fácil para o momento, mas qualquer renúncia nos é sobremodo difícil; por isso que a primeira só está ligada ao presente fugitivo, enquanto a segunda se estende ao futuro e guarda consigo privações inumeráveis das quais é o equivalente. Por consequência, a causa das nossas dores ou das nossas alegrias não reside, de ordinário, na realidade presente, mas em pensamentos abstratos; e são estes que se nos tornam frequentemente molestos até ao ponto de nos criar tormentos a cujo confronto todas as dores dos animais são insignificantes, pois que tais torturas morais nos impedem às vezes de advertir até mesmo as nossas dores físicas e pois que, sob o império de sofrimentos intelectuais extremos, procuramos os sofrimentos físicos com o único fito de distrair a nossa atenção daqueles para estes: razão pela qual vemos o homem dominado por violenta dor moral, arrancar os cabelos, bater o peito, arranhar o rosto, rolar por terra, meios violentos para distrair-se dalgum pensamento tornado insuportável. É igualmente porque os sofrimentos morais, como os mais fortes, nos tornam insensíveis aos sofrimentos físicos, que o suicídio se torna quase fácil ao homem desesperado ou a quem se sinta dilacerado por uma tristeza mórbida mesmo quando no estado anterior de calma física ou moral este pensamento o tivesse feito recuar. Da mesma maneira os afãs ou as paixões, que são movimentos do pensamento, consomem o corpo mais rápida e profundamente do que o teriam feito os males físicos.

Morte

Tô fugindo desse encontro marcado (e macabro)

Reza o clichê que o humano é o único animal que tem consciência da própria morte. Isso gera um desconforto constante na gente. Quem nunca pensou no momento da morte? E não é só a nossa própria morte que apavora. A coisa de que o Homem tem mais medo é de perder alguém que ama. Mil crenças foram desenvolvidas em torno da morte. Há os que acreditam que tudo acaba depois da morte. Outros acham que vão para um inferno ou um paraíso. Têm os que acham que vão reencarnar em outros planos ou planetas, e aqueles que pensam que vão voltar como animais. Mas ninguém sabe mesmo o que acontece depois que nosso corpo morre. Afinal, como escreveu Shakespeare, a morte é um país desconhecido de onde nenhum viajante jamais retornou.

A filosofia, claro, tem suas reflexões sobre esse fenômeno que nos espera de qualquer jeito. De Platão (428-347 a.C.) a Heidegger (1889-1976), a tradição filosófica é repleta de teorias e ensinamentos sobre a morte, tema tão amedrontador quanto instigante. Sócrates definiu a filosofia como "preparação para a morte" e Schopenhauer (1788-1860), no século 19, chega ao ponto de afirmar que "a morte é a musa da filosofia". Sem a morte, seria mesmo difícil que se tivesse filosofado.

 Epicuro

Carta a Meneceu

Acostume-se à ideia de que a morte para nós não é nada, visto que todo o bem e todo o mal residem nas sensações, e a morte é justamente a privação das sensações. A consciência clara de que a morte não significa nada para nós proporciona a fruição da vida efêmera, sem querer acrescentar-lhe tempo infinito e eliminando o desejo de imortalidade. Não existe nada de terrível na vida para quem está perfeitamente convencido deque não há nada de terrível em deixar de viver. É tolo, portanto, quem diz ter medo da morte, não porque a chegada desta lhe trará sofrimento, mas porque o aflige a própria espera: aquilo que não nos perturba quando presente não deveria afligir-nos enquanto está sendo esperado. Então, o mais terrível de todos os males, a morte, não significa nada para nós, justamente porque, quando estamos vivos, é a morte que não está presente; ao contrário, quando a morte está presente, nós é que não estamos. A morte, portanto, não é nada, nem para os vivos, nem para os mortos, já que para aqueles ela não existe, ao passo que estes não estão mais aqui. E, no entanto, a maioria das pessoas ora foge da morte como se fosse o maior dos males, ora a deseja

como descanso dos males da vida. O sábio, porém, nem desdenha viver, nem teme deixar de viver; viver não é um fardo e não-viver não é um mal.

Schopenhauer

Trechos de *A Metafísica da Morte*

Nesse texto, Schopenhauer — pra quem a morte é a musa da filosofia — discute a morte a partir de dois pontos de vista: o da Representação (o ponto de vista objetivo) e o da Vontade (subjetivo). Aqui Schopenhauer também se coloca contra o suicídio e busca uma consolação que marcaria sua metafísica da morte.

A morte é propriamente o gênio inspirador, ou a musa da filosofia, pelo que Sócrates a definiu como preparação para a morte. Dificilmente se teria filosofado sem a morte.
(...)
O animal vive sem conhecimento verdadeiro da morte: por isso o indivíduo animal goza imediatamente de todo o caráter imperecível da espécie, na medida em que só se conhece como infinito. Com a razão apareceu, necessariamente entre os homens, a certeza assustadora da morte. Mas, como na natureza, a todo mal sempre é dado um remédio ou, ao menos, uma compensação, então a mesma reflexão, que originou o conhecimento da morte, ajuda também nas concepções metafísicas consoladoras, das quais o animal não necessita, nem é capaz. Sobretudo para esse fim estão orientadas todas as religiões e sistemas filosóficos, que são, portanto, antes de tudo, o antídoto da certeza da morte, produzido pela razão reflexionante a partir de meios próprios.

Manual de Sobrevivência Filosófico

☞ **No pensamento filosófico, a morte é o fim da vida**, por isso não podemos ter a experiência dela. Assim ela nem pode ser um mal, nem um objeto de medo. A observação de Schopenhauer se aproxima mais da definição da morte pela moderna Psicologia que a tem como a perda irreparável da individualidade, a anulação do eu de cada um.

❶ *Detalhe da obra Soldado francês saúda a morte, Nicolas-Toussaint, 1815, litografia.*

O grau, todavia, em que se atinge esse fim é bastante diverso, e com certeza uma religião ou filosofia capacitará o homem, muito mais do que outra, a encarar com um olhar tranquilo a face da morte.

(...)

No entanto, de acordo com tudo o que foi ensinado sobre a morte, não se pode negar que, pelo menos na Europa, a opinião do povo, muitas vezes até de uma mesma pessoa, oscile de novo com frequência de cá para lá entre a concepção da morte como aniquilação absoluta e a hipótese de que, por assim dizer, somos imortais, em carne e osso. Ambas são igualmente falsas: a esse respeito nós não temos de encontrar um justo meio, mas antes conquistar o ponto de vista superior, a partir do qual tais concepções se suprimem por si mesmas.

(...)

No fundo, entretanto, somos uno com o mundo, muito mais do que estamos acostumados a pensar: sua essência íntima é nossa vontade; seu fenômeno é nossa representação. Para quem pudesse ter clara consciência desse ser-uno, desapareceria a diferença entre a persistência do mundo externo, depois que se está morto, e a própria persistência após a morte.

(...)

A morte é o perder de uma individualidade e o obter de uma outra, por conseguinte uma mudança de individualidade sob a condução exclusiva de sua própria vontade.

EPICURO • SCHOPENHAUER • PLATÃO  *Moral*

(...)
As opiniões mudam com o tempo e o lugar, mas a voz da natureza permanece sempre e em toda parte igual e por isso é para ser ouvida antes de tudo o mais. Ela parece então dizer aqui claramente: a morte é um grande mal. Na linguagem da natureza, morte significa aniquilação. E que a morte é algo sério, deixa-se já inferir do fato de que a vida, como cada um sabe, não é nenhuma brincadeira. Nada temos de melhor a merecer do que ambas.

De fato, o temor da morte é independente de todo conhecimento: pois o animal o possui, embora não conheça a morte. Tudo o que nasce já o traz consigo ao mundo. Esse temor da morte *a priori* é, entretanto, justamente apenas o reverso da Vontade de vida, que nós todos somos.

(...)
Assim tudo dura só um momento e corre para a morte. A planta e o inseto morrem no fim do verão e o animal e o homem, depois de alguns anos: a morte ceifa incansavelmente. Entretanto, malgrado isso, é como se não fora no todo assim, e tudo está sempre aí no seu lugar e na sua posição, justamente como se tudo fosse imperecível. A planta sempre verdeja e floresce, o inseto zune, o animal e o homem estão aí em indestrutível juventude, e as cerejas, já milhares de vezes fruídas, nós as temos, a cada verão, de novo diante de nós. Também os povos estão aí, como indivíduos imortais, mesmo se às vezes mudam de nome. O seu agir, laborar e sofrer são sempre os mesmos, embora a história sempre pretenda contar algo de diferente, pois ela é como o caleidoscópio, que em cada giro mostra uma nova configuração, enquanto, na verdade, temos sempre a mesma coisa diante dos olhos. O que pois se impõe mais

irresistivelmente do que o pensamento de que o nascer e o perecer não atingem o ser próprio das coisas, mas que este permanece intacto e, portanto, é imperecível? Por isso todos ou cada um que quer existir, existe continuamente e sem fim. De acordo com isso, todos os gêneros animais, do mosquito ao elefante, a cada momento dado, estão todos reunidos. Já se renovaram muitas milhares de vezes e, apesar disso, permaneceram os mesmos. Não sabem dos outros seus iguais, que viveram antes deles, ou viverão depois deles. A espécie é o que vive por todo tempo, e é na consciência da sua imortalidade e da sua identidade que os indivíduos existem satisfeitos. A Vontade de vida aparece no presente sem fim, porque este é a forma de vida da espécie, que por isso não envelhece, mas permanece sempre jovem. A morte é para a espécie o que o sono é para o indivíduo, ou o que é o piscar para o olho, cuja ausência faz reconhecer os deuses indianos, quando aparecem em figura humana. Assim como, pela entrada da noite, desaparece o mundo, que todavia em nenhum momento deixa de ser, do mesmo modo aparentemente perecem com a morte o homem e o animal, subsistindo, no entanto indestrutível, o seu ser verdadeiro. Pense-se na alternância da morte e da vida em vibrações infinitamente rápidas, e se tem diante de si a objetivação duradoura da Vontade, as Ideias permanentes dos seres, imóveis como o arco-íris sobre a queda d'água. Eis a imortalidade temporal. Por causa da mesma, malgrado milênios de morte e decomposição, nada ainda se perdeu, nenhum átomo de matéria, muito menos algo do ser íntimo, que se expõe como natureza. Por isso podemos a cada momento exclamar animados: "Apesar do tempo, da morte e da decomposição, estamos todos reunidos!".

EPICURO • SCHOPENHAUER • PLATÃO    *Moral*

Platão

Trecho de *A República: A História de Er*

Essa história contada no último livro de A República *é meio comprida, mas vale a pena ler por ser uma das poucas coisas que a Filosofia registra sobre a vida depois da morte. Aqui fica bem clara a teoria da metempsicose, ou reencarnação. É muito louco que essa crença dos órficos tenha passado para o cristianismo e ainda por cima por causa de Platão!*

Sócrates — Não é a história de Alcino que te vou contar, mas a de um homem valoroso: Er, filho de Armênio, originário de Panfília. Ele morrera numa batalha; dez dias depois, quando recolhiam os cadáveres já putrefatos, o seu foi encontrado intacto. Levaram-no para casa, a fim de o enterrarem, mas, ao décimo segundo dia, quando estava estendido na pira, ressuscitou.

Assim que recuperou os sentidos, contou o que tinha visto no além. Quando, disse ele, a sua alma deixara o corpo, pusera-se a caminhar com muitas outras, e juntos chegaram a um lugar divino onde se viam na terra duas aberturas situadas lado a lado, e no céu, ao alto, duas outras que lhes ficavam fronteiras. No meio estavam sentados juízes, que, tendo dado a sua sentença, ordenavam aos justos que se dirigissem à direita na estrada que subia até o céu, depois de terem posto à sua frente um letreiro contendo o seu julgamento; e aos maus que se dirigissem à esquerda na estrada descendente, levando, eles também, mas atrás, um letreiro em que estavam indicadas todas as suas ações.

Como ele se aproximasse, por seu turno, os juízes disseram-lhe que devia ser para os homens o mensageiro do além e recomendaram-lhe que ouvisse e observasse tudo o que se passava naquele lugar. Viu as almas que se iam, uma vez julgadas, pelas duas aberturas correspondentes do céu e da terra; pelas duas outras entravam almas que, de um lado, subiam das profundezas da terra, cobertas de sujeira e pó. Do outro, desciam, puras, do céu, e todas essas aí que chegavam sem cessar, pareciam ter feito uma longa viagem. (...) Por determinado número de injustiças que tinha cometido em detrimento de uma pessoa e por determinado número de pessoas em detrimento das quais tinha cometido a injustiça, cada alma recebia, para cada falta, dez vezes a sua punição e cada punição durava cem anos, ou seja, a duração da vida humana, a fim de que a expiação fosse o décuplo do crime. (...)

Cada grupo passava sete dias na planície. Ao oitavo, devia levantar o acampamento e pôr-se a caminho para chegar, quatro dias mais tarde, a um lugar de onde se via uma luz direita como uma coluna estendendo-se desde o alto, através de todo o céu e de toda a terra, muito semelhante ao arco-íris, mas ainda mais brilhante e mais pura. Chegaram lá após um dia de marcha; e aí, no meio da luz, viram as extremidades dos vínculos do céu, porque essa luz é o laço do céu: como as armaduras que cingem os flancos das trirremes, mantêm o conjunto de tudo o que ele arrasta na sua revolução. A essas extremidades está suspenso o fuso da Necessidade, que faz girar todas as esferas; a haste e a agulha são de aço, e a roca, uma mistura de aço e outras matérias.

(...) O próprio fuso gira sobre os joelhos da Necessidade.

No alto de cada círculo está uma Sereia, que gira com ele fazendo ouvir um único som, uma única nota; e estas oito notas compõem em conjunto uma única harmonia. Três outras mulheres, sentadas ao redor a intervalos iguais, cada uma num trono, as filhas da Necessidade, ou seja, as Moiras, vestidas de branco, com a cabeça coroada de grinaldas. Elas cantam acompanhando a harmonia das Sereias, e são três: Láquesis canta o passado, Cloto, o presente, e Átropo, o futuro. E Cloto toca de vez em quando com a mão direita no círculo exterior do fuso, para fazê-lo girar, enquanto Átropo, com a mão esquerda, faz girar os círculos interiores. Quanto a Láquesis, toca alternadamente no primeiro e nos outros, com uma e outra mão.

Assim, quando chegaram, tiveram de se apresentar imediatamente a Láquesis. Antes disso, um hierofante os pôs por ordem; depois, tirando dos joelhos de Láquesis destinos e modelos de vida, subiu a um estrado elevado e falou assim:

"Declaração da virgem Láquesis, filha da Necessidade. Almas efêmeras, ides começar uma nova carreira e renascer para a condição mortal. Não é um gênio que escolherá vocês, mas vocês mesmos escolherão seu gênio. Que o primeiro designado pela sorte seja o primeiro a escolher a vida a que ficará ligado pela necessidade.

A virtude não tem senhor: cada um de vós, consoante a venera ou a desdenha, terá mais ou menos. A responsabilidade é daquele que escolhe. Deus não é responsável".

A estas palavras, lançou os destinos e cada um apanhou o que caíra perto dele, exceto Er, porque não lhe foi permitido.

Cada um ficou então sabendo qual a posição que lhe tinha cabido por sorte. Depois, o hierofante estendeu diante deles modelos de vida em número muito superior ao das almas presentes.

Havia de toda espécie: todas as vidas dos animais e todas as vidas humanas; viam-se tiranias, umas que duravam

Manual de Sobrevivência Filosófico

até a morte, outras, interrompidas a meio caminho, que acabavam na pobreza, no exílio e na mendicância. Havia também vidas de homens famosos, quer pelo seu aspecto físico, beleza, força ou aptidão para a luta, quer pela sua nobreza, e grandes qualidades dos seus antepassados. Havia também as obscuras em todos os aspectos, e o mesmo acontecia para as mulheres. Mas essas vidas não implicavam nenhum caráter determinado da alma, porque esta devia por lei mudar consoante a escolha feita. Todos os outros elementos da existência estavam misturados com a riqueza, a pobreza, a doença e a saúde, e também os meios-termos entre eles. (...)

Pois bem, segundo o relato do mensageiro do além, o Hierofante dissera, ao lançar os destinos: "Mesmo para o último a chegar, se fizer uma escolha sensata e perseverar com ardor na existência escolhida, há uma condição agradável, e não má. Que o primeiro a escolher não se mostre negligente e que o último não perca a coragem".

Quando acabou de pronunciar estas palavras, disse Er, aquele a quem coubera o primeiro destino escolheu de imediato a maior tirania e, arrebatado pela loucura e avidez, apossou-se dela sem prestar a devida atenção ao que fazia; e não viu que o destino implicava que o seu possuidor comeria os próprios filhos e cometeria outros horrores; mas, depois de cair em si, bateu no peito e deplorou a sua escolha, esquecendo os avisos do hierofante, pois que, em vez de acusar a si mesmo por seus males, voltava-se contra a sorte, os demônios e tudo o mais.

Era um dos que vinham do céu: tinha passado a vida anterior numa cidade bem policiada e aprendido a virtude por hábito e sem filosofia. E pode-se afirmar que, entre as almas assim pegas, as que vinham do céu não eram as

EPICURO • SCHOPENHAUER • PLATÃO  *Moral*

menos numerosas, porque não tinham sido postas à prova pelos sofrimentos; pelo contrário, a maior parte das que chegavam da terra, havendo sofrido e visto sofrer as outras, não se precipitavam na escolha.

Daí que, como dos acasos do sorteio, a maior parte das almas trocasse um bom destino por um mau e vice-versa. E assim, se sempre que um homem nascesse para a vida terrestre se dedicasse salutarmente à filosofia e o destino não o convocasse a escolher entre os últimos, parece, segundo o que se conta do além, que não só seria feliz neste mundo, mas que a sua passagem deste mundo para o outro e o regresso se fariam não pelo rude caminho subterrâneo, mas pela via unida do céu.

O espetáculo das almas que escolhem a sua condição, acrescentava Er, valia a pena ser visto, porque era digno de dó, ridículo e estranho. Com efeito, era segundo os hábitos da vida anterior que, na maioria das vezes, faziam a sua escolha. Ele dizia ter visto a alma que foi um dia a de Orfeu escolher a vida de um cisne, porque, por ódio ao sexo que lhe dera a morte, não queria nascer de uma mulher. Tinha visto a alma de Tâmiras escolher a vida de um rouxinol, um cisne trocar a sua condição pela do homem e outros animais canoros fazerem o mesmo. A alma chamada em vigésimo lugar a escolher optou pela vida de um leão: era a de Ajax, filho de Télamon, que não queria voltar a nascer no estado de homem, pois não tinha esquecido o julgamento das armas. A seguinte era a alma de Agamenon; tendo também aversão pelo gênero humano, por causa das desgraças passadas, trocou a sua condição pela de uma águia. (...) Por fim, a alma de Ulisses, a quem a sorte fixara o último lugar, adiantou-se para escolher; despojada da sua ambição pela lembrança das fadigas passadas, andou muito tempo à procura da condição tranquila de um homem comum. Com certa dificuldade, descobriu uma que jazia a um canto, desdenhada pelos outros; e, quando a viu, disse que não teria agido de maneira diferente se a sorte a tivesse chamado em primeiro lugar e, alegre, escolheu-a. De igual modo os animais passavam à condição humana ou à de outros animais, os injustos nas espécies ferozes, os justos nas espécies domesticadas; faziam-se assim cruzamentos de todas as espécies.

Depois que todas as almas escolheram a sua vida, avançaram para Láquesis pela ordem que a sorte lhes fixara. Esta deu a cada uma o gênio que tinha preferido, para lhe servir de guardiã durante a existência e realizar o seu destino. O gênio conduzia-a primeiramente a Cloto e, fazendo-a passar por baixo da mão desta e sob o turbilhão do fuso em movimento, ratificava o destino que ela havia escolhido. Depois de ter tocado o fuso, levava-a para a trama de Átropo, para tornar irrevogável o que tinha sido fiado por Cloto; então, sem se voltar, a alma passava por baixo do trono da Necessidade; e, quando todas chegaram ao outro lado, dirigiram-se para a planície do Lete, passando por um calor terrível que queimava e sufocava, pois esta planície está despida de árvores e de tudo o que nasce da terra. Ao anoitecer, acamparam nas margens do rio Ameles, cuja água nenhum vaso pode conter. Cada alma é obrigada a beber uma certa quantidade dessa água, mas as que não usam de prudência bebem mais do que deviam. Ao beberem, perdem a memória de tudo. Então, quando todas adormeceram e a noite chegou à metade, um trovão se fez ouvir, acompanhado de um tremor de terra, e as almas, cada uma por uma via diferente, lançadas de repente nos espaços superiores para o lugar do seu nascimento, faiscaram como estrelas. Quanto a ele, dizia Er, tinham-no impedido de beber a água; contudo, ele não sabia por onde nem como a sua alma se juntara ao corpo: abrindo de repente os olhos, ao alvorecer, vira-se estendido na pira. (...)

Política

O político é um
animal que é
homem... epa! Não
era bem assim...

Foi Aristóteles quem definiu o Homem como um animal político. É que a gente precisa do bando pra sobreviver, e pra viver em bando é preciso se relacionar, se organizar, definir como é que isso tudo vai ser feito. É preciso, portanto, fazer política. Já Nietzsche achava que o Homem estava mais pra gado, um ser que vive em manada, que vai seguindo as tendências, vai pra onde todos vão. O fato é que, seja você alguém que participa, se liga nas coisas, toma parte na organização do seu mundo, ou seja você alguém sem opinião que só segue a multidão, a política está na sua vida de um jeito mais radical do que você imagina. Bom, não precisa nem dizer que um assunto de tanto impacto sobre os humanos é um prato cheio para os filósofos de todas as épocas. Aqui vão algumas ideias de alguns dos principais pensadores políticos de todos os tempos. Alimento para o pensamento...

Manual de Sobrevivência Filosófico

Locke

John Locke (1632-1704) foi um cara megaimportante no desenvolvimento do pensamento político. Ele é considerado o pai do Liberalismo, fundador do empirismo e um dos principais teóricos do contrato social. O solteirão Locke era médico, mas também foi professor de grego e retórica em Oxford. Seu interesse era a ciência, e seus amigos eram cientistas e pesquisadores. Um deles foi Isaac Newton. Por causa de suas posições políticas, precisou fugir da Inglaterra e se exilar na Holanda. A Holanda era nessa época — e continua sendo — um país muito tolerante e, por isso mesmo, era um lugar onde as ideias brotavam e se desenvolviam, um lugar perfeito para Locke desenvolver suas reflexões. Depois que voltou à Inglaterra, ajudou a escrever a Carta dos Direitos, apresentada ao Parlamento e reconhecida pelo rei.

Trechos do *Segundo Tratado Sobre o Governo Civil*

> Esse é um dos livros mais fundamentais da ciência política. Locke parte da perspectiva do direito da natureza e estado natural e sustenta que é na liberdade que está a essência da soberania política. O texto influenciou a declaração de Independência dos Estados Unidos e se tornou um ícone do liberalismo político moderno. Aqui, Locke expõe sua teoria sobre o governo. O fio que conduz à reflexão parte de uma pergunta que se desdobra em duas: Quais são as fontes e os limites de uma autoridade política legítima? Isto é, por que devemos obedecer aos governantes e em quais circunstâncias podemos nos opor a eles? Daí Locke discute a organização e os

LOCKE • LA BOÉTIE • ROUSSEAU • MAQUIAVEL

Política

fins da sociedade política e do governo e defende a supremacia parlamentar, o Estado de direito e um governo constitucional.

Por isso, o objetivo capital e principal da união dos homens em comunidades sociais e de sua submissão a governos é a preservação de sua propriedade. O **estado de natureza** é carente de muitas condições. Em primeiro lugar, ele carece de uma lei estabelecida, fixada, conhecida, aceita e reconhecida pelo consentimento geral, para ser o padrão do certo e do errado e também a medida comum para decidir todas as controvérsias entre os homens. Embora a lei da natureza seja clara e inteligível para todas as criaturas racionais, como os homens são tendenciosos em seus interesses, além de ignorantes pela falta de conhecimento deles, não estão aptos a reconhecer o valor de uma lei que eles seriam obrigados a aplicar em seus casos particulares.

(...)

Assim, apesar de todos os privilégios do estado de natureza, a humanidade desfruta de uma condição ruim enquanto nele permanece, procurando rapidamente entrar em sociedade. É muito raro encontrarmos homens, em qualquer número, permanecendo um tempo apreciável nesse estado. As inconveniências a que estão expostos pelo exercício irregular e incerto do poder que cada homem possui de punir as transgressões dos outros fazem com que eles busquem

👉 **É o estado dos seres humanos** fora da sociedade civil, um conceito usado por filósofos como Thomas Hobbes, John Locke e Jean-Jacques Rousseau para esclarecer o que é explicado pela natureza, em oposição ao que é explicado pela convenção, e o que é justificado para cada uma delas. Para Hobbes, o estado de natureza é uma guerra de todos contra todos, e a sociedade seria o remédio para esse estado terrível. Hegel e Marx rejeitam a noção de estado de natureza, porque entendem que foi a própria sociedade que criou a natureza dos seres humanos.

❶ *A guerra dos Palmares*, Manuel Vitor, 1955, óleo sobre tela.

211

Manual de Sobrevivência Filosófico

abrigo sob as leis estabelecidas do governo e tentem assim salvaguardar sua propriedade. É isso que dispõe cada um a renunciar tão facilmente a seu poder de punir, porque ele fica inteiramente a cargo de titulares nomeados entre eles, que deverão exercê-lo conforme as regras que a comunidade ou aquelas pessoas por ela autorizadas adotaram de comum acordo. Aí encontramos a base jurídica inicial e a gênese dos poderes legislativo e executivo, assim como dos governos e das próprias sociedades.

(...)

Mas, embora os homens ao entrarem na sociedade renunciem à igualdade, à liberdade e ao poder executivo que possuíam no estado de natureza, que é então depositado nas mãos da sociedade, para que o legislativo deles disponha na medida em que o bem da sociedade assim o requeira, cada um age dessa forma apenas com o objetivo de melhor proteger sua liberdade e sua propriedade (pois não se pode supor que nenhuma criatura racional mude suas condições de vida para ficar pior), e não se pode jamais presumir que o poder da sociedade, ou o poder legislativo por ela instituído, se estenda além do bem comum; ele tem a obrigação de garantir a cada um sua propriedade, remediando aqueles três defeitos acima mencionados que tornam o estado de natureza tão inseguro e inquietante. Seja quem for que detenha o poder legislativo, ou o poder supremo, de uma comunidade civil, deve governar por meio de leis estabelecidas e permanentes, promulgadas e conhecidas do povo, e não por meio de decretos improvisados; por juízes imparciais e íntegros, que irão decidir as controvérsias conforme estas leis; e só deve empregar a força da comunidade, em seu interior, para assegurar a aplicação destas leis, e, no exterior, para prevenir ou reparar as agressões do

estrangeiro, pondo a comunidade ao abrigo das usurpações e da invasão. E tudo isso não deve visar outro objetivo senão a paz, a segurança e o bem público do povo.

(...)

O grande objetivo dos homens quando entram em sociedade é desfrutar de sua propriedade pacificamente e sem riscos, e o principal instrumento e os meios de que se servem são as leis estabelecidas nesta sociedade; a primeira lei positiva fundamental de todas as comunidades políticas é o estabelecimento do poder legislativo; como a primeira lei natural fundamental, que deve reger até mesmo o próprio legislativo, é a preservação da sociedade e (na medida em que assim o autorize o poder público) de todas as pessoas que nela se encontram. O legislativo não é o único poder supremo da comunidade social, mas ele permanece sagrado e inalterável nas mãos em que a comunidade um dia o colocou; nenhum edito, seja de quem for sua autoria, a forma como tenha sido concebido ou o poder que o subsidie, tem a força e a obrigação de uma lei, a menos que tenha sido sancionado pelo poder legislativo que o público escolheu e nomeou. Pois sem isso faltaria a esta lei aquilo que é absolutamente indispensável para que ela seja uma lei, ou seja, o consentimento da sociedade, acima do qual ninguém tem o poder de fazer leis; exceto por meio do seu próprio consentimento e pela autoridade que dele emana. Por isso, toda a obediência que pode ser exigida de alguém, mesmo em virtude dos vínculos mais solenes, termina afinal neste poder supremo e é dirigida por aquelas leis que ele adota; jamais um membro da sociedade, pelo efeito de um juramento que o ligaria a qualquer poder estrangeiro ou a qualquer poder subordinado na ordem interna, pode ser dispensado de sua obediência ao legislativo e agir por sua própria conta; da mesma forma, também não

Manual de Sobrevivência Filosófico

é obrigado a qualquer obediência contrária às leis adotadas, ou que ultrapasse seus termos; seria ridículo imaginar que um poder que não é o poder supremo na sociedade possa se impor a quem quer que seja.

(...)

O poder legislativo é o poder supremo em toda comunidade civil, quer seja ele confiado a uma ou mais pessoas, quer seja permanente ou intermitente. Entretanto, Primeiro: ele não é exercido e é impossível que seja exercido de maneira absolutamente arbitrária sobre as vidas e sobre as fortunas das pessoas. Sendo ele apenas a fusão dos poderes que cada membro da sociedade delega à pessoa ou à assembleia que tem a função do legislador, permanece forçosamente circunscrito dentro dos mesmos limites que o poder que estas pessoas detinham no estado de natureza antes de se associarem em sociedade e a ele renunciaram em prol da comunidade social. Ninguém pode transferir para outra pessoa mais poder do que ele mesmo possui; e ninguém tem um poder arbitrário absoluto sobre si mesmo ou sobre qualquer outro para destruir sua própria vida ou privar um terceiro de sua vida ou de sua propriedade. Foi provado que um homem não pode se submeter ao poder arbitrário de outra pessoa; por outro lado, no estado de natureza, o poder que um homem pode exercer sobre a vida, a liberdade ou a posse de outro jamais é arbitrário, reduzindo-se àquele a ele investido pela lei da natureza, para a preservação de si próprio e do resto da humanidade; esta é a medida do poder que ele confia e que pode confiar à comunidade civil, e por meio dela ao poder legislativo, que portanto não pode ter um poder maior que esse. Mesmo considerado em suas maiores dimensões, o poder que ela detém se limita ao bem público da sociedade.

(...)
O poder supremo não pode tirar de nenhum homem qualquer parte de sua propriedade sem seu próprio consentimento. Como a preservação da propriedade é o objetivo do governo, e a razão por que o homem entrou em sociedade, ela necessariamente supõe e requer que as pessoas devem ter propriedade, senão isto faria supor que a perderam ao entrar em sociedade, aquilo que era seu objetivo que as fez se unirem em sociedade, ou seja, um absurdo grosseiro demais que ninguém ousaria sustentar. Visto que os homens que vivem em sociedade são proprietários, têm o direito de possuir todos os bens que lhe pertencem em virtude da lei da comunidade social, dos quais ninguém tem o direito de privá-los ou de qualquer parte deles, sem seu próprio consentimento; sem isso, eles não são proprietários de nada. Eu realmente não tenho nenhum direito de propriedade sobre aquilo que outra pessoa pode por direito tomar de mim quando lhe aprouver, sem o meu consentimento. Por isso é um erro acreditar que o poder supremo ou legislativo de qualquer comunidade social possa fazer o que ele desejar, e dispor arbitrariamente dos bens dos súditos ou tomar qualquer parte deles como bem entender. Isso não deve ser muito temido em governos em que o legislativo consiste inteiramente, ou em parte, de assembleias de composição variável, e cujos membros, quando elas são dissolvidas, retornam à condição de súditos e estão sujeitos, da mesma forma que o restante das pessoas, às leis comuns de seu país. Mas em governos em que o poder legislativo reside em uma assembleia permanente ou em um único homem, como nas monarquias, pode-se sempre recear que eles creiam ter um interesse distinto do resto da comunidade e então sejam capazes de aumentar suas próprias riquezas e seu poder, tomando do povo o que mais lhes convier. Pois

a propriedade do homem só está absolutamente segura se houver leis boas e justas que estabeleçam os limites entre ela e aquelas de seus vizinhos, e se aquele que comanda estes súditos não tiver poder para tomar de qualquer indivíduo a parte que lhe aprouver de sua propriedade, usando-a e dela dispondo a seu bel-prazer.

(...)

(...) o poder político é aquele poder que todo homem detém no estado de natureza e abre mão em favor da sociedade, e ali aos governantes que a sociedade colocou à sua frente, impondo-lhes o encargo, expresso ou tácito, de exercer este poder para seu bem e para a preservação de sua propriedade. Então este poder, que todo homem tem no estado de natureza, e que remete à sociedade em todos os casos em que a sociedade pode assegurá-lo, é para que eles utilizem os meios que considerarem bons e que a natureza permitir para preservar sua propriedade e para infligir aos outros, quando eles infringem a lei da natureza, a punição que sua razão considerar mais adequada para garantir sua preservação e a de toda a humanidade. Como a finalidade e a medida deste poder, quando está nas mãos de cada homem no estado de natureza, é a preservação de toda a sua sociedade, ou seja, de toda a humanidade em geral, não pode ter outra finalidade ou medida, quando está nas mãos dos magistrados, senão preservar os membros daquela sociedade em suas vidas, liberdades e posses; e por isso não pode ser um poder absoluto e arbitrário sobre suas vidas e bens, que devem ser preservados tanto quanto possível, mas um poder de fazer leis e completá-las por penalidades que sejam de natureza a assegurar a preservação do todo, amputando aquelas partes, e apenas aquelas, cuja corrupção se torne uma ameaça para as partes saudáveis e idôneas,

pois a severidade só é legítima neste sentido. E este poder procede apenas do pacto, do acordo e do consentimento mútuo daqueles que compõem a comunidade.

La Boétie

Discurso Sobre a Servidão Voluntária

Muita gente mandando não me parece bem; um só chefe, um só rei, é o que mais nos convém. Assim proclamava publicamente Ulisses em Homero [Homero, *Ilíada*, cap. II]. Teria toda a razão se tivesse dito apenas: Muita gente a mandar não me parece bem. Deveria, para ser mais claro, ter explicado que o domínio de muitos nunca poderia ser boa coisa pela razão de o domínio de um só que usurpe o título de soberano ser já assaz duro e pouco razoável; em vez disso, porém, acrescentou: Um só chefe, um só rei, é o que mais nos convém. Uma única desculpa terá Ulisses, e é a necessidade que teve de recorrer a tais palavras para apaziguar as tropas amotinadas, adaptando (julgo) o discurso às circunstâncias mais do que à verdade. Vistas bem as coisas, não há infelicidade maior do que estar sujeito a um chefe; nunca se pode confiar na bondade dele e só dele depende o ser mau quando assim lhe aprouver. Ter vários amos é ter outros tantos motivos para se ser extremamente desgraçado. Não quero por enquanto levantar o discutidíssimo problema de saber se as outras formas de governar a coisa pública são melhores do que a monarquia. A minha intenção é antes interrogar-me sobre o lugar que à monarquia cabe, se algum lhe cabe, entre as mais formas de governar. Porque não é fácil admitir que o governo de um só tenha a preocupação da coisa pública.

Rousseau

Trechos de *Do Contrato Social*

Em 1762, Rousseau publicou Do Contrato social, *livro que trouxe problemas para o filósofo. Por causa da perseguição que sofreu, o cara teve de se exilar na Suíça e depois na Inglaterra. Nesse texto, o filósofo propõe que todos os homens façam um novo contrato social em que se defenda a liberdade do homem, baseado na experiência política das antigas civilizações onde predomina o consenso, garantindo os direitos de todos os cidadãos, e se desdobra em quatro livros.*

O pensamento de Rousseau afirma que o homem é, por natureza, bom. É a sociedade que o corrompe. Mas ele se liga que a sociedade não é, por essência, corruptora, só um certo tipo de sociedade, isto é, aquela que se baseia na afirmação da desigualdade natural dos homens, oprimindo a maioria em proveito de uma minoria privilegiada. Hum, isso parece familiar...

Rousseau sustenta, também, que o estado de natureza é um estado primordial onde o homem vive feliz, em harmonia com o mundo e na inocência, não havendo necessidade de sociedade. O social não tem sua norma na natureza, mas no homem.

O homem difere essencialmente dos outros seres naturais e animais por sua perfectibilidade. O problema é encontrar uma forma de sociedade na qual possa preservar sua liberdade natural e garantir sua segurança. Para solucionar esse problema, Rousseau propõe o contrato social. O soberano é o conjunto dos membros da sociedade. Cada homem é ao mesmo tempo legislador e sujeito. Ele obedece à lei que ele mesmo fez. Isso pressupõe uma vontade geral distinta da soma das vontades particulares. Cada homem possui, como indivíduo, uma vontade particular, mas também possui, como cidadão,

uma vontade geral que o conduz a querer o bem do conjunto do qual é membro. Cabe à educação formar essa vontade geral. Com relação à forma de governo, o regime social ideal é o democrático, mas Rousseau está consciente das dificuldades de tal regime, pois o governo, mesmo representativo, pode usurpar a soberania. Hum, isso também soa muito familiar...

Suponhamos que o homem, chegando àquele ponto em que os obstáculos prejudiciais à sua conservação no estado de natureza sobrepujam pela sua resistência as forças de que cada indivíduo, dispõe a manter-se nesse estado. Então, nesse estado primitivo já não pode subsistir, e o gênero humano pereceria se não mudasse de modo de vida.

(...)

A passagem do estado natural ao estado civil produziu no homem uma mudança considerável, substituindo em sua conduta a justiça ao instinto, e imprimindo às suas ações a moralidade que anteriormente lhe faltava. Foi somente então que a voz do dever, sucedendo ao impulso físico, e o direito ao apetite, fizeram com que o homem, que até esse momento só tinha olhado para si mesmo, se visse forçado a agir por outros princípios e consultar a razão antes de ouvir seus pendores. Embora se prive, nesse estado, de diversas vantagens recebidas da Natureza, ganha outras tão grandes, suas faculdades se exercitam e desenvolvem, suas ideias se estendem, seus sentimentos se enobrecem, toda a sua alma se eleva a tal ponto, que, se os abusos desta nova condição não o degradassem com frequência a uma condição inferior àquela de que saiu, deveria abençoar incessantemente o ditoso momento em que foi dali desarraigado para sempre, o qual transformou um animal estúpido e limitado num ser inteligente, num homem.

Reduzamos todo este balanço a termos fáceis de comparar. O que o homem perde pelo contrato social é a liberdade natural e um direito ilimitado a tudo que o tenta e pode alcançar; o que ganha é a liberdade civil e a propriedade de tudo o que possui. Para que não haja engano em suas compensações, é necessário distinguir a liberdade natural, limitada pelas forças do indivíduo, da liberdade civil que é limitada pela liberdade geral, e a posse, que não é senão o efeito da força ou do direito do primeiro ocupante, da propriedade, que só pode ser baseada num título positivo.

Seria possível, em prosseguimento do precedente, acrescentar à aquisição do estado civil a liberdade moral, a única que torna o homem verdadeiramente senhor de si mesmo, posto que o impulso apenas do apetite constitui a escravidão, e a obediência à lei a si mesmo prescrita é a liberdade. Mas já falei demasiadamente deste assunto, e o sentido filosófico do termo liberdade não constitui aqui o meu objetivo.

(...)

Para ordenar o todo, ou dar a melhor forma possível à coisa pública, há que considerar diversas relações. Primeiramente, a ação do corpo inteiro agindo sobre si mesmo, isto é, a relação do todo com o todo ou do soberano com o Estado; e essa relação é composta da dos termos intermediários, como o veremos mais adiante.

As leis que regulamentam essas relações são denominadas leis políticas; chamam-se também leis fundamentais, não sem alguma razão, no caso de serem feitas com sabedoria; porque se em cada Estado, não há senão uma maneira de o dirigir, o povo que a encontrou deve a ela ater-se; mas, no caso de ser má a ordem estabelecida, por que se há de tomar

por fundamentais as leis que impedem de ser bom? De resto, em todo estado de causa, o povo é sempre senhor de mudar suas leis, mesmo as melhores, porque, se lhe aprouver prejudicar a si mesmo, quem terá o direito de impedi-lo?

A segunda relação é a dos membros entre si ou com o corpo inteiro, e essa relação deve ser, no primeiro caso, tão pequena, e, no segundo, tão grande quanto possível; de sorte que cada cidadão se sinta perfeitamente independente de todos os outros e numa excessiva dependência da cidade, o que sempre se faz através dos mesmos meios, uma vez que não há senão a força do Estado para promover a liberdade de seus membros. E é desta segunda relação que nascem as leis civis.

Pode-se considerar uma terceira espécie de relação entre o homem e a lei: isto é, a da desobediência ao castigo, e esta dá lugar ao estabelecimento das leis criminais, que, no fundo, constituem menos uma espécie particular de leis que a sanção de todas as outras.

A essas três espécies de leis acrescenta-se uma quarta, a mais importante de todas, que não se grava nem no mármore nem no bronze, mas no coração dos cidadãos; que adquire diariamente forças novas; que reanima ou substitui as outras leis quando envelhecem ou se extinguem, e retém o povo dentro do espírito de sua instituição, e substitui insensivelmente a força do hábito à da autoridade. Falo dos usos, dos costumes e, em especial, da opinião, parte desconhecida de nossos políticos, mas da qual depende o êxito de todas as outras; parte de que o grande legislador se ocupa em segredo, enquanto parece limitar-se a regulamentos particulares, que outra coisa não são senão o cimbre da abóbada, cujos costumes, mais lentos no nascer, compõem enfim a chave imutável.

Manual de Sobrevivência Filosófico

Entre essas diversas classes, as leis políticas que constituem a forma do governo são as únicas que se relacionam com o meu assunto.

(...)

Toda ação livre tem duas causas, que concorrem para produzi-la: uma, moral, a saber, a vontade que determina o ato; outra, física, isto é, o poder que a executa. Quando caminho na direção de um objeto, faz-se primeiramente necessário que eu lá queira ir; em segundo lugar, que meus pés me levem. Que um paralítico deseje correr e um homem ágil não queira, dá na mesma: ambos permanecerão no mesmo sítio. O corpo político possui móbiles idênticos: distinguem-se igualmente aí a força e a vontade, esta sob o nome de poder legislativo, a outra sob o nome de poder executivo. Sem o concurso de ambas, nada se faz ou se deve fazer.

Vimos que o poder legislativo pertence ao povo e só a ele pode pertencer. E, ao contrário, é fácil ver pelos princípios anteriormente expostos que o poder executivo não pode pertencer ao maior número como legislador ou soberano, pelo fato de este poder só consistir em atos particulares que não são de modo algum da jurisdição da lei, e, por conseguinte, do soberano cujos atos não podem ser senão leis.

Necessita, assim, a força pública de um agente próprio que a reúna e a ponha em funcionamento segundo os rumos da vontade geral, que sirva à comunicação do Estado e do soberano, e faça de alguma forma na pessoa pública o que a união da alma e do corpo faz no homem. Eis em que consiste no Estado a razão do governo, enganosamente confundida com o soberano, da qual não é senão ministra.

Que é, portanto, o governo? Um corpo intermediário, estabelecido entre os vassalos e o soberano, para possibilitar

a recíproca correspondência, encarregado da execução das leis e da manutenção da liberdade, tanto civil como política.

Os membros desse corpo chamam-se magistrados, ou reis, governadores, e o corpo, em seu conjunto, recebe o nome de príncipe. Assim sendo, têm muita razão os que pretendem que o ato pelo qual o povo se submete a chefes não constitui um contrato. Tal coisa não passa de uma comissão, ou de um emprego, através do qual simples oficiais do soberano exercem, em seu nome, o poder de que são depositários, e que ele, soberano, pode limitar, modificar e retomar, quando bem lhe aprouver; porque a alienação de um tal direito é incompatível com a natureza do corpo social e contrária ao fim da associação.

Chamo, pois, governo, ou suprema administração, ao exercício legítimo do poder executivo; e príncipe ou magistrado, ao homem ou ao corpo incumbido dessa administração.

É no governo que se encontram as forças intermediárias cujas relações compõem a do todo ao todo, ou a do soberano ao todo. Pode-se representar essa última relação pela dos extremos de uma proporção contínua, cuja média proporcional é o governo. Do soberano recebe o governo as ordens a serem dadas ao povo, e para que o Estado se mantenha em perfeito equilíbrio, se faz mister, tudo compensado, haja igualdade entre o produto ou o poder governamental, tomado em si mesmo, e o produto ou o poder dos cidadãos, que, de um lado, são soberanos, e vassalos de outro.

Além disso, não seria possível alterar nenhum dos três termos, sem imediatamente romper a proporção. Se o soberano quiser governar, ou se o magistrado quiser legislar, ou se os vassalos recusarem obedecer, a desordem sucederá à regra, a força e a vontade não mais agirão de acordo, e o Estado, uma vez desunido, tombará no despotismo

Manual de Sobrevivência Filosófico

ou na anarquia. Enfim, como não há senão uma média proporcional entre cada relação, não há também senão um bom governo possível num Estado. Entretanto, como acontecimentos mil podem vir a mudar as relações de um povo, não apenas diferentes governos são passíveis de serem bons para diversos povos, como também para o mesmo povo em diferentes épocas.

(...)

O caso da dissolução do Estado pode-se dar de duas maneiras: primeiramente, quando o príncipe não mais o administra conforme as leis, e usurpa o poder soberano. Então, acontece uma mudança considerável: é que, não mais o governo, mas o Estado se restringe. Quero dizer que o grande Estado se dissolve, e que se forma um outro no seio daquele, apenas composto dos membros do governo, e que nada mais é em relação ao resto do povo senão o senhor e o tirano. De sorte que, no instante da usurpação da soberania por parte do governo, é rompido o pacto social, e todos os simples cidadãos, recolados de direito em sua liberdade natural, são forçados, mas não obrigados a obedecer.

O mesmo sucede também quando os membros do governo usurpam separadamente o poder, que só devem exercer em conjunto, e que não constitui menor infração das leis, e produz ainda maior desordem. Têm-se então, por assim dizer, tantos príncipes quantos magistrados, e o Estado, não menos dividido que o governo, perece ou muda de forma.

Quando o Estado se dissolve, seja qual for o abuso do governo, toma o nome de anarquia. Fazendo a distinção: a democracia degenera em ociocracia, a aristocracia em oligarquia: posso ainda acrescentar que a realeza degenera em tirania; mas este último termo é equívoco e exige explicação.

LOCKE • LA BOÉTIE • **ROUSSEAU** • MAQUIAVEL   *Política*

No sentido vulgar do termo, o tirano é um rei que governa com violência e sem respeito à justiça e às leis. No sentido preciso, um tirano é um particular que se arroga a autoridade real sem a ela ter direito. É assim que os gregos entendiam o termo tirano: davam-no indiferentemente aos bons ou maus príncipes cuja autoridade não era legítima. Assim sendo, tirano e usurpador são dois termos perfeitamente sinônimos.

Para dar diferentes nomes a diferentes coisas, chamo tirano ao usurpador da autoridade real, e déspota ao usurpador do poder soberano. O tirano é aquele que se decide contra as leis a governar segundo as leis; o déspota é o que se põe acima das leis. Assim, o tirano pode não ser déspota, mas o déspota é sempre tirano.

Rousseau

Trecho do *Discurso Sobre a Desigualdade*

Da extrema desigualdade das condições e das fortunas, da diversidade das paixões e dos talentos, das artes inúteis, das artes perniciosas, das ciências frívolas, saíram multidões de preconceitos igualmente contrários à razão, à felicidade e à virtude: ver-se-ia fomentar pelos chefes tudo o que pode enfraquecer homens reunidos desunindo-os, tudo o que pode dar à sociedade um ar de concórdia aparente e nela semear um germe de divisão real, tudo o que pode inspirar às diferentes ordens uma desconfiança e um ódio mútuo pela oposição dos seus direitos e dos seus interesses, e fortificar, por conseguinte, o poder que os contém a todos. É do seio dessa desordem e dessas revoluções que o despotismo, levantando gradativamente a cabeça hedionda, e devorando tudo o que teria percebido de bom e de são em todas as partes do Estado, conseguiria finalmente calcar aos pés as leis e o povo, e se estabelecer sobre as ruínas da república. Os tempos que precederiam essa última mudança seriam tempos de perturbações e calamidades; mas, por fim, tudo seria engolido pelo monstro, e os povos não teriam mais chefes nem leis, porém tiranos exclusivamente. Desde esse instante, também não se trataria de costumes e virtudes: porquanto por toda parte onde reina, *cui ex honesto nulla est spes*, o despotismo não suporta nenhum outro senhor; desde que ele fala, não há probidade nem dever que consultar, e a mais cega obediência é a única virtude que resta aos escravos.

Aqui está o último termo da desigualdade, e o ponto extremo que fecha o círculo e toca no ponto de onde partimos; é aqui que todos os particulares voltam a ser iguais, porque nada são, e os súditos não tendo mais outra lei senão a vontade do senhor, nem o senhor outra regra senão as suas paixões, as noções do bem e os princípios da justiça desaparecem de ora em diante; é aqui que tudo conduz exclusivamente à lei do mais forte, e, por conseguinte, a um novo estado de natureza diferente daquele pelo qual começamos, sendo que um era o estado de natureza na sua pureza, e este último é o fruto de um excesso de corrupção. Há tão pouca diferença, aliás, entre esses dois estados, e o contrato de governo é de tal modo dissolvido pelo despotismo, que o déspota não é senhor senão durante o tempo em que é o mais forte; e, logo que o podem expulsar, não tem que reclamar contra a violência. A sublevação que acaba por estrangular ou destronar um sultão é um ato tão jurídico como aqueles pelos quais ele dispunha, na véspera, das vidas e dos bens dos súditos. Só a força o mantinha, só a força o derruba; todas as coisas se passam assim, segundo a ordem natural; e, qualquer que possa ser o advento dessas curtas e frequentes revoluções,

ninguém se pode queixar das injustiças de outro, mas somente da sua própria imprudência ou da sua desgraça.

Maquiavel

Niccolò di Bernardo dei Machiavelli (1469-1527) produziu, durante a Renascença, um dos maiores tratados políticos de todos os tempos. Sua obra-prima é, sem dúvida, *O Príncipe*, escrito provavelmente entre julho e dezembro de 1513, quando estava exilado, enleado nos reveses da política da qual era ator menor, porém, participante o bastante para atrair para si favores ou ofender os poderosos.

O Príncipe é um marco na história do pensamento político ocidental. Mas também rendeu uma má reputação a Maquiavel que, por causa de alguns trechos de *O Príncipe*, ficou com fama de ser um autor frio, cheio de cinismo político e de impiedade filosófica. Mas o que acontece é que Maquiavel incomoda porque se recusa a tratar da política e das questões políticas meramente como questões éticas. Tipo assim: ele escreve não o que deveria ser, mas como é na real; como o governante mais brutal da sua época, César Bórgia, que inspirou *O Príncipe*, conseguia manter o poder. Longe de ser maquiavélico, Maquiavel apenas baseia suas conclusões políticas nas características dos impulsos humanos.

Trechos de *O Príncipe*

O Príncipe fala sobre conquistas e conquistadores. É uma visão da política e, por ser fiel à realidade humana, só podia ser sangrenta. A abordagem de Maquiavel é basicamente científica. Ele usa um sistema de classificação, mapeando os vários tipos de Estado, ordenando-os conforme sua orientação política.

O enfoque de O Príncipe *é a razão. Maquiavel se refere frequentemente ao príncipe "prudente". Ele analisa as escolhas a serem feitas por um governante e as aborda com precisão. O poder, para Maquiavel, pode ser conquistado apenas por meio da racionalidade. É óbvio que os exércitos são necessários e que é uma boa ter amigos em posições influentes, mas é a razão que determina qual arma usar, que sabe quando confiar ou não nos amigos e como mitigar as vicissitudes da fortuna.*

Seja como for, O Príncipe *é uma obra desafiadora, inquietante, que procura oferecer uma visão do homem enquanto animal político, sedento por poder, o tempo todo confundido por seus próprios impulsos contraditórios. Na verdade, esse livro chega quase a ser um estudo psicológico das contradições humanas em busca de se estabelecer uma síntese, indo, portanto, do simples ao composto, da parte para o todo, do princípio para as consequências.*

Todos os Estados, todos os governos que tiveram e têm autoridade sobre os homens, foram e são ou repúblicas ou principados. Os principados são: ou hereditários, quando seu sangue senhorial é nobre há já longo tempo, ou novos.

ര ✕ ഔ

Estes domínios assim obtidos estão acostumados ou a viver submetidos a um príncipe, ou a ser livres, sendo adquiridos com tropas de outro ou com as próprias, bem como pela fortuna ou por *virtú*.

ര ✕ ഔ

Digo, pois, que para a preservação dos Estados hereditários e afeiçoados à linhagem de seu príncipe, as dificuldades

LOCKE • LA BOÉTIE • ROUSSEAU • MAQUIAVEL   Política

são assaz menores que nos novos, pois é bastante não preterir os costumes dos antepassados e, depois, contemporizar com os acontecimentos fortuitos, de forma que, se tal príncipe for dotado de ordinária capacidade sempre se manterá no poder, a menos que uma extraordinária e excessiva força dele venha a privá-lo; e, uma vez dele destituído, ainda que temível seja o usurpador, volta a conquistá-lo.

No capítulo 3 de O Príncipe, *Maquiavel traça uma consideração extensa sobre os Estados problemáticos. Na verdade, são tratados aqui, em suma, os territórios conquistados. Maquiavel pondera sobre quais fatores tornam essas conquistas bem-sucedidas, ilustrando com dois exemplos: o sucesso do império romano em manter os territórios conquistados e, por outro lado, o fracasso do rei Luís, da França.*

Para o autor, o sucesso dos romanos está no estabelecimento de colônias — estratégia usada, por exemplo, atualmente pelo governo da República Popular da China que moderniza o Tibete para garantir a ocupação.

Os romanos também privilegiavam os menos poderosos ao mesmo tempo em que arruinavam os poderosos e não permitiam que estrangeiros se destacassem. Enfrentavam os problemas imediatamente, jamais postergando a guerra. Conforme argumenta, a guerra não pode ser evitada, apenas adiada. Assim, quanto antes lutar, melhor.

Por outro lado, não se deve, como fez o rei Luís da França ao invadir a Itália a convite dos venezianos, enfraquecer os fracos, fortalecer os fortes (a Igreja) e introduzir no cenário italiano uma potência estrangeira (a Espanha). Luís tampouco fixou residência no território que invadiu, nem fundou colônias. Seu maior erro foi usurpar o poder de seus antigos aliados venezianos, sem os quais não teve como conservar a Lombardia que conquistara.

око

É nos principados novos que residem as dificuldades.

(...) os homens, com satisfação, mudam de senhor pensando melhorar e esta crença faz com que lancem mão de armas contra o senhor atual, no que se enganam porque, pela própria experiência, percebem mais tarde ter piorado a situação. Isso depende de uma outra necessidade natural e ordinária, a qual faz com que o novo príncipe sempre precise ofender os novos súditos com seus soldados e com outras infinitas injúrias que se lançam sobre a recente conquista; dessa forma, tens como inimigos todos aqueles que ofendeste com a ocupação daquele principado e não podes manter como amigos os que te puseram ali, por não poderes satisfazê-los pela forma por que tinham imaginado, nem aplicar-lhes corretivos violentos, uma vez que estás a eles obrigado.

ако

Digo, consequentemente, que estes Estados conquistados e anexados a um Estado antigo, ou são da mesma província e da mesma língua, ou não o são: quando o sejam, é sumamente fácil mantê-los sujeitos, máxime quando não estejam habituados a viver em liberdade; e para dominá-los, seguramente será bastante ter-se extinguido a estirpe do príncipe que os governava, porque nas outras coisas, conservando-se suas velhas condições e não existindo alteração de costumes, os homens passam a viver tranquilamente.

ако

E quem conquista querendo conservá-los deve adotar duas medidas: a primeira é fazer com que a linhagem

do antigo príncipe seja extinta; a outra, aquela de não alterar nem as suas leis nem os impostos; por tal forma, dentro de mui curto lapso de tempo, o território conquistado passa a constituir um corpo todo com o principado antigo.

Os súditos ficam satisfeitos porque podem recorrer ao príncipe mais facilmente, donde têm mais razões para amá-lo.

Outro remédio eficaz é instalar colônias num ou dois pontos, que sejam como grilhões postos àquele Estado. Com as colônias, não se despende muito e, sem grande custo, podem ser instaladas e mantidas, sendo que sua criação prejudica somente aqueles de quem se tomam os campos e as casas para cedê-los aos novos habitantes, os quais constituem uma parcela mínima do Estado conquistado. Ainda, os assim prejudicados, ficando dispersos e pobres, não podem causar dano algum, enquanto que os não lesados ficam à parte, amedrontados.

Por onde se depreende que os homens devem ser acarinhados ou eliminados, pois se vingam-se das pequenas ofensas, das graves não podem fazê-lo; daí decorre que a ofensa que se faz ao homem deve ser tal que não se possa temer vingança.

☙ ✤ ❧

Mas mantendo, em lugar de colônias, forças militares, gasta-se muito mais, absorvida toda a arrecadação daquele Estado na guarda aí destacada; dessa forma, a conquista transforma-se em perda e ofende muito mais porque danifica todo aquele país com as mudanças do alojamento do exército, incômodo esse que todos sentem e que transforma cada habitante em inimigo: e são inimigos que podem causar dano ao conquistador, pois, vencidos, ficam em sua própria casa. Sob qualquer ponto de vista, essa guarda armada é inútil, ao passo que a criação de colônias é útil.

Deve, ainda, quem se encontre à frente de uma província diferente, como foi dito, tornar-se chefe e defensor dos menos fortes, tratando de enfraquecer os poderosos e cuidando que em hipótese alguma aí penetre um forasteiro tão forte quanto ele.

☙ ✤ ❧

E a ordem das coisas é que, tão logo um estrangeiro poderoso penetre numa província, todos aqueles que nela são mais fracos a ele deem adesão, movidos pela inveja contra quem se tornou poderoso sobre eles; tanto assim é, que em relação a estes não se torna necessário grande trabalho para obter seu apoio, pois logo todos eles, voluntariamente, formam bloco com o seu Estado conquistado.

☙ ✤ ❧

Todo príncipe inteligente deve (...) não somente vigiar e ter cuidado com as desordens presentes, como também

com as futuras, evitando-as com toda a cautela porque, previstas a tempo, facilmente se lhes pode opor corretivo; mas, esperando que se avizinhem, o remédio não chega a tempo, e o mal já então se tornou incurável.

☙ ❋ ❧

Os romanos, prevendo as perturbações, sempre as tolheram e jamais, para fugir à guerra, permitiram que as mesmas seguissem seu curso, pois sabiam que a guerra não se evita, mas apenas se adia em benefício dos outros.

☙ ❋ ❧

É coisa muito natural e comum o desejo de conquistar e, sempre, quando os homens podem fazê-lo, serão louvados ou, pelo menos, não serão censurados; mas quando não têm possibilidade e querem fazê-lo de qualquer maneira, aqui está o erro e, consequentemente, a censura.

☙ ❋ ❧

Mas passando à outra parte, quando um cidadão privado, não por perfídia ou outra intolerável violência, porém, com o favor de seus concidadãos, torna-se príncipe de sua pátria, o que se pode chamar principado civil (para tal se tornar, não é necessária muita virtude ou muita fortuna, mas antes uma astúcia afortunada) digo que se ascende a esse principado ou com o favor do povo ou com aquele dos grandes.

Porque em toda cidade se encontram essas duas tendências diversas e isso resulta do fato de que o povo não quer ser mandado nem oprimido pelos poderosos, enquanto estes desejam governar e oprimir o povo: é destes dois anseios diversos que nasce nas cidades um dos três efeitos: ou principado, ou liberdade, ou desordem.

O principado é constituído ou pelo povo ou pelos grandes, conforme uma ou outra destas partes tenha oportunidade: vendo os grandes não lhes ser possível resistir ao povo, começam a emprestar prestígio a um dentre eles e o fazem príncipe para poderem, sob sua sombra, dar expansão ao seu apetite; o povo, também, vendo não poder resistir aos poderosos, volta a estima a um cidadão e o faz príncipe para estar defendido com a autoridade do mesmo. O que chega ao principado com a ajuda dos grandes se mantém com mais dificuldade do que aquele que ascende ao posto com o apoio do povo, pois se encontra príncipe com muitos ao redor a lhe parecerem seus iguais e, por isso, não pode nem governar nem manobrar como bem entender.

Mas aquele que chega ao principado com o favor popular, aí se encontra só, e ao seu derredor não tem ninguém, ou são pouquíssimos que não estejam preparados para obedecer. Além disso, sem injúria aos outros, não se pode honestamente satisfazer os grandes, mas sim pode-se fazer bem ao povo, eis que o objetivo deste é mais honesto daquele dos poderosos, querendo estes oprimir enquanto aquele apenas quer não ser oprimido. Contra a inimizade do povo, um príncipe jamais pode estar garantido, por serem muitos; dos grandes, porém, pode-se assegurar porque são poucos. O pior que pode um príncipe esperar do povo hostil é ser por ele abandonado; mas dos poderosos inimigos não só deve temer ser abandonado, como também deve recear que os mesmos se lhe voltem contra ele.

 octavas

Deve, pois, alguém que se torne príncipe mediante o favor do povo, conservá-lo amigo, o que se lhe torna fácil, uma vez que não pede ele senão não ser oprimido. Mas quem se torne príncipe pelo favor dos grandes, contra o povo, deve, antes de mais nada, procurar ganhar este para si, o que se lhe torna fácil quando assume a proteção do mesmo. E, porque os homens, quando recebem o bem de quem esperavam somente o mal, se obrigam mais ao seu benfeitor, torna-se o povo desde logo mais seu amigo do que se tivesse sido por ele levado ao principado.

Um príncipe hábil deve pensar na maneira pela qual possa fazer com que os seus cidadãos sempre e em qualquer circunstância tenham necessidade do Estado e dele mesmo, e estes, então, sempre lhe serão fiéis.

Maquiavel

Trechos de *Discursos Sobre A Primeira Década de Tito Lívio*

O livro Discursos Sobre a Primeira Década de Tito Lívio *foi escrito quatro anos depois que Maquiavel concluiu* O Príncipe. *A semelhança entre os dois textos é grande, mas os* Discursos *defendem uma forma de governo específica, a república.*

Maquiavel diz que há três tipos de república: monarquia, aristocracia e despotismo, e que tendem a se degenerar, fazendo a monarquia virar despotismo, a aristocracia se transformar em oligarquia e a república se metamorfoseia em anarquia.

Maquiavel define o Estado como o poder central soberano — o monopólio do uso legítimo da força. Leis são estabelecidas conforme os costumes da sociedade e com o cuidado de não repetir o que não teve êxito, mas quando se trata de Estado, tudo é válido, desde a violação de leis e costumes e tudo mais que for necessário para se atingir o fim almejado. Pois é, para Maquiavel, os fins justificam os meios. Neste livro, o filósofo avisa ainda sobre o problema que pode vir da sucessão dos governantes. Ao intercalar líderes bons com fracos, o Estado poderá manter-se. Se, porém, dois governantes ruins sucederem-se, ou apenas um, mas que seja duradouro, o Estado será inevitavelmente prejudicado — ou até mesmo arruinado. Maquiavel enfatiza que a administração de um Estado deve se adaptar à sua população e não o contrário, isto é, as pessoas adaptarem-se às leis.

Todas as cidades foram fundadas ou pelo povo do local onde se erguem, ou por estrangeiros. No primeiro dos casos, as cidades têm sua origem quando os habitantes de um determinado local não podem viver em segurança, pois encontram-se dispersos em muitas comunidades pequenas, cada qual incapaz, seja pela sua situação ou pequeno número, de se defender sozinha dos ataques de inimigos, cuja aproximação não permite tempo para uni-los para se defenderem sem ter de abandonar suas fortalezas e, assim, tornar-se presa fácil para o invasor. Para fugir do perigo, seja por iniciativa própria ou por causa de uma autoridade maior, eles se restringem a viver juntos em certos locais, os quais julgam ser mais conveniente para viver e mais fácil

para defender. Entre muitas cidades que tiveram seu início dessa forma, estão Atenas e Veneza.

☙ ✠ ❧

No segundo caso, isto é, no de uma cidade fundada por estrangeiros, os colonos ou são totalmente independentes, ou são controlados por outros, como nas colônias fundadas por um príncipe ou uma república a fim de aliviar o excesso de população de seus países, ou para defender territórios recém-adquiridos que devem ser mantidos com custo baixo. Dessa forma, muitas cidades foram fundadas pelos romanos em todas as partes do seu domínio. Também pode acontecer de tais cidades serem fundadas por um príncipe apenas para aumentar sua reputação, sem que haja qualquer intenção de sua parte de nelas habitar. Assim foi fundada Alexandria, por Alexandre, o Grande.

Há três formas de governo, conhecidas pelos nomes de monarquia, aristocracia e democracia.

☙ ✠ ❧

A monarquia prontamente se torna uma tirania; a aristocracia, uma oligarquia, enquanto a democracia tende a se degenerar em anarquia.

☙ ✠ ❧

A boa fortuna de Roma foi tal que, embora seu governo passasse do rei aos nobres e destes ao povo (...), a autoridade do elemento real não foi sacrificada para fortalecer a autoridade dos nobres, nem os nobres abdicaram da sua para favorecer a plebe, mas os três [*elementos sociais*], combinando-se, formaram um Estado perfeito.

> *Na abertura do capítulo 3 de* Discursos, *Maquiavel antecede Thomas Hobbes (1588-1679), que concebeu o "estado natural" do homem, o estado anterior ao Estado, no qual a ação egoísta de um homem é limitada apenas pela força de outro. Hobbes usava a frase do dramaturgo romano Plauto "O Homem é o lobo do Homem" para determinar a natureza humana. Na real, a humanidade não possui inimigos naturais — à exceção dos germes e de seus transmissores. Só que, o predador do homem, seu inimigo natural, é o próprio homem. Maquiavel afirma, simplesmente, que "todos os homens são maus".*

ଔ �֎ ଓ

Aqueles que estabelecem os fundamentos de um Estado e criam suas leis devem, conforme demonstrado por todos que já trataram do governo civil, e de cujo exemplo a História está cheia, assumem que todos os homens são maus e sempre, quando tiverem liberdade de fazê-lo, darão vazão às suas inclinações torpes.

ଔ ✖ ଓ

O Tempo é o pai da Verdade.

ଔ ✖ ଓ

Quando agimos bem sem haver leis é porque elas não são necessárias. Contudo, quando há ausência de bons costumes, exigem-se leis.

ය ✼ ෨

Entre as providências tomadas pelos fundadores das repúblicas, uma das mais necessárias é a criação da guarda da liberdade, pois se esta estiver em boas ou más mãos a liberdade do Estado será mais ou menos duradoura. E como em todas as repúblicas encontramos dois partidos, o dos nobres e o do povo, surge a questão sobre a qual deles deve ser dada a guarda da liberdade.

ය ✼ ෨

Creio que, via de regra, as desordens são mais comumente ocasionadas por aqueles que buscam preservar o poder, pois neles o medo de perder o que têm desperta as mesmas paixões que dominam aqueles que buscam adquirir o poder, uma vez que os homens nunca acreditam possuir aquilo que têm, com certeza, a não ser quando ganham algo novo dos outros.

ය ✼ ෨

Para que se possa garantir a liberdade pública, àqueles que devem preservá-la deve ser outorgada a útil e necessária autoridade de acusar, seja ante o povo ou algum conselho ou tribunal, aqueles cidadãos que, de um modo ou de outro, ofenderam a liberdade de seu país.

Prazer

Cada um acha prazer onde encontra...

Os filósofos dizem que o prazer é uma das dimensões básicas da vida afetiva. Contrário da dor e do sofrimento, é produzido pela satisfação de um desejo ou de uma tendência. Existem prazeres físicos, que vêm dos sentidos e dos sentimentos, e os prazeres intelectuais, como a leitura deste livro ou a audição de uma música que você curta. Por isso, certos pensadores relacionam o prazer à felicidade. É também um grande motivador. Alguns afirmam até que o prazer é finalidade de toda a ação. O epicurismo trabalha muito com a relação prazer e felicidade e recomenda que a gente busque apenas os prazeres construtivos. O hedonismo também foca na obtenção de prazer. Só que aqui qualquer tipo de prazer vale a pena. O prazer do hedonismo é um prazer egoísta. Uma doutrina bem calcada no hedonismo é a dos cirenaicos, uma escola filosófica fundado por Aristipo de Cirene (c. 435-356 a.C.). Para os cirenaicos, a meta da vida

Manual de Sobrevivência Filosófico

👉 **Ataraxia é o estado de imperturbabilidade ou de tranquilidade inabalável**, equanimidade. Os filósofos epicuristas e estoicos diziam que a ataraxia era a mais elevada forma de felicidade e, por isso, era seu objetivo de vida. Para os epicuristas, a ataraxia era obtida pela busca dos prazeres "tranquilos" e pela satisfação dos desejos naturais; para os estoicos, pela eliminação das paixões.

ℹ️ *No prado*, 1988/92, Pierre-Auguste Renoir, óleo sobre tela.

era obter o máximo de prazer. Bom, a gente sabe que quem vai atrás de prazer sem medidas acaba quebrando a cara.

Epicuro

Trechos da *Carta a Meneceu*

É necessário depois pensar por analogia que alguns desejos são naturais, outros vãos; entre os naturais, alguns são necessários, outros são simplesmente naturais. Depois, dos necessários alguns são tais em relação à felicidade, outros são assim em relação ao bem-estar físico, outros ainda em relação à própria vida. Com efeito, uma sólida noção de desejo sabe guiar cada escolha e cada rejeição para a saúde do corpo e para a **ataraxia** da alma, uma vez que justamente este é o fim da vida feliz. De fato, justamente com este escopo fazemos de tudo, a fim de não experimentar nem sofrimento nem perturbação. Uma vez que isto se verifique em nós, toda tempestade da alma se aplaca, porque o ser humano não sabe que outra coisa desejar que lhe falte, nem que outra coisa pedir para tornar pleno o bem da alma e do corpo. Sentimos necessidade do prazer, quando sofremos pela sua falta, [quando, ao contrário, não sofremos], então não temos nenhuma necessidade do prazer.

É por essa razão que afirmamos que o prazer é o início e o fim de uma vida feliz. Realmente,

nós o identificamos como o bem primeiro e inerente ao ser humano, em razão dele praticamos toda escolha ou recusa, e a ele chegamos escolhendo todo bem de acordo com a distinção entre prazer e dor.

Embora o prazer seja nosso bem primeiro e inato, nem por isso escolhemos qualquer prazer: há ocasiões em que evitamos muitos prazeres, quando deles advêm efeitos o mais das vezes desagradáveis; ao passo que consideramos muitos sofrimentos preferíveis aos prazeres, se um prazer maior advier depois de suportarmos essas dores por muito tempo.

Portanto, todo prazer constitui um bem por sua própria natureza; não obstante isso, nem todos são escolhidos; do mesmo modo, toda dor é um mal, mas nem todas devem ser evitadas. Convém, portanto, avaliar todos os prazeres e sofrimentos de acordo com o critério dos benefícios e dos danos. Há ocasiões em que utilizamos um bem como se fosse um mal e, ao contrário, um mal como se fosse um bem.

☙ ✤ ❧

Também consideramos um grande bem a independência em relação aos desejos, não com o escopo de gozar apenas um pouco, mas porque se não temos o muito, nos possa bastar o pouco, corretamente convictos de que melhor goza da abundância quem menos sente a sua necessidade, que tudo o que é requerido por natureza é facilmente obtenível, e tudo o que, ao contrário, é vão, dificilmente se adquire, que os alimentos frugais produzem um prazer idêntico ao de uma farta mesa, quando eliminarmos a dor da necessidade, e que pão e água oferecem o máximo dos prazeres, quando deles se serve quem deles tem necessidade.

Manual de Sobrevivência Filosófico

☙ ✄ ❧

Portanto, o hábito de um alimento simples e de modo nenhum refinado, de um lado confere saúde, do outro torna o homem alegre nas ocupações necessárias da vida, e se nós nos aproximamos, de vez em quando, a um teor de vida suntuoso, nos dispomos melhor em relação a ele, e ficamos sem medo do destino. Por conseguinte, quando dizemos que o prazer é o fim último, não pretendemos falar dos prazeres dos dissolutos e nem dos que consistem na crápula, como afirmam aqueles que não conhecem, não partilham ou mal entendem nossos princípios, e sim, ao contrário, pretendemos falar da falta de dor no corpo e da falta de perturbação na alma. Com efeito, não são os simpósios ou os banquetes contínuos, o aproveitar de jovenzinhos e mulheres, ou o peixe e tudo o que pode oferecer uma rica mesa que levam a uma existência feliz, e sim uma límpida capacidade de raciocínio que esteja consciente de cada aceitação e de cada rejeição, e elimine a vacuidade das opiniões, pelas quais a pior das perturbações surpreende a alma.

Epiteto

Trechos do *Manual*

(...) Acolha as coisas relativas ao corpo na medida da simples necessidade: alimentos, bebidas, vestimenta, serviçais — mas exclua por completo a ostentação ou o luxo. Quanto aos prazeres de Afrodite, você deve se preservar ao máximo até o casamento, mas se você se engajar neles, é preciso tomá-los conforme o costume. No entanto, não seja grave nem crítico com os que fazem

uso de tais prazeres, nem anuncie repetidamente que você mesmo não o faz.

ℭ ✠ ℬ

Quando você apreender a representação de algum prazer — ou de alguma outra coisa — guarde-se e não se deixe arrebatar por ela. Que o assunto espere por você: conceda um tempo a você mesmo. Lembre então destes dois momentos: um, no qual você irá desfrutar do prazer, e outro posterior, no qual, tendo-o desfrutado, irá se arrepender e criticará a você mesmo. Compare, então, com esses dois momentos o quanto, abstendo-se desse prazer, você se alegrará e elogiará a si mesmo. Contudo, caso a ocasião propícia para empreender a ação se apresente, tome cuidado! Que sua doçura e sua sedução não exerçam domínio sobre você. Compare isso ao quão melhor será para você ter conhecimento da obtenção da vitória.

Religião

Sou ateu graças a Deus!

Absolutamente todas as culturas que apareceram no planeta Terra têm uma relação com o divino. Todas explicam o surgimento do mundo e do universo como mágica e todas acreditam num mundo invisível que controla o cosmo e intervém na vida humana. A religião é, então, uma coisa humana, demasiadamente humana. Até mesmo quem não acredita em nada acredita que não existe nada. É uma crença dentro da descrença. Além do lado místico, a religião dá um sentido para a humanidade. Ela ordena e explica as coisas conforme a vontade de Deus ou dos deuses, coloca regras de conduta que devem ser seguidas (tipo, os Dez Mandamentos ou o Caminho Óctuplo do budismo), desvenda os mistérios do universo e realiza rituais que permitem às pessoas celebrarem e se relacionarem com o divino. Hoje, em pleno alvorecer da Quarta Revolução Industrial, o início da Era dos

Robôs, quando a ciência tem a palavra final sobre tudo, a maioria das pessoas acredita em Deus ou segue uma religião. Há gente questionando até fatos científicos porque contradizem a Bíblia. Há também gente que acredita que o Homem foi feito de barro e que a Terra é plana...

Na filosofia, a religião ocupa um lugar de destaque na Idade Média. Nessa época, a Igreja usou a filosofia para justificar e comprovar as verdades divinas. Os padres colocaram a filosofia a serviço da teologia. Mas a partir do período Moderno (século 17), a filosofia foi ficando mais crítica com relação à religião e suas instituições. Espinosa veio com uma nova ideia de Deus, bem diferente daquela promovida pela Igreja; e Nietzsche martela o cristianismo. Marx disse que "a religião é o ópio do povo", o fator alienante da sociedade. Então, vamos dar uma aprofundada: seguem trechos de importantes ideias sobre a religião e seu impacto sobre o Homem.

Durkheim

O francês Émile Durkheim (1858-1917) é considerado o pai da Sociologia Moderna. Neto e filho de rabinos, a família queria que Émile seguisse o mesmo rumo. Mas ele enveredou por outro lado. Rejeitou sua herança judaica e foi lecionar em liceus no interior da França. Depois, foi nomeado para a primeira cadeira de Ciências Sociais na Universidade de Bordeaux, e nos últimos 15 anos de sua vida, na Sorbonne. Durkheim escreveu sobre o suicídio, tentando provar que o autoextermínio tem causas sociais. Ele também escreveu sobre religião. Na verdade, um dos seus livros mais importantes, *As Formas Elementares da Vida Religiosa*, é um dos seus escritos mais importantes.

DURKHEIM • ESPINOSA • AGOSTINHO • NIETZSCHE   Religião

Trechos de *As Formas Elementares da Vida Religiosa*

As Formas Elementares da Vida Religiosa, *publicado em 1912, é um dos trabalhos mais significativos de Durkheim. Aqui, ele tenta mostrar os primórdios, as bases, sociais da religião. Radical, disse que não existem religiões falsas, que todas são essencialmente sociais. O texto define religião como "um sistema universal de crenças e práticas relativas às coisas sagradas". Essas crenças e práticas unem os indivíduos que as adotam numa única comunidade moral, a Igreja.*

(...) se nos voltamos para as religiões primitivas não é com a intenção de depreciar a religião em geral; porque essas religiões primitivas não são menos respeitáveis que as outras. Elas respondem às mesmas necessidades, desempenham o mesmo papel, dependem das mesmas causas; portanto, podem perfeitamente servir para manifestar a natureza da vida religiosa e, por conseguinte, para resolver o problema que desejamos tratar... Em primeiro lugar, não podemos chegar a compreender as religiões mais recentes senão seguindo na história a maneira pela qual se construíram progressivamente. A história, com efeito, é o único método de análise explicativa que a elas se pode aplicar.

☙ ✤ ❧

(...) à medida que progride na história, as causas que a produziram, mesmo permanecendo constantemente ativas, só são percebidas por meio de vasto sistema de interpretações que as deformam. As mitologias populares e as sutis teologias fizeram a sua parte: superpuseram aos sentimentos primitivos... a distância psicológica entre a causa e o afeito, entre a causa aparente e a causa efetiva, tornou-se para o espírito mais considerável e mais difícil de percorrer... não se trata de encontrar um meio que permita que nos transportemos até ali pelo pensamento... o que queremos é encontrar um meio de discernir as causas, sempre presentes, de que dependem as formas mais essenciais do pensamento e da prática religiosa.

ො ✕ ෩

Uma noção que geralmente é considerada como característica de tudo aquilo que é religioso é a de sobrenatural. Com esse termo entende-se toda ordem de coisas que vai além do alcance do nosso entendimento; o sobrenatural é o mundo do mistério, do incognoscível, do incompreensível. A religião seria, assim, uma espécie de especulação sobre tudo aquilo que escapa à ciência e, mais geralmente, ao pensamento distinto... é mistério que pede explicação; portanto ele as faz consistir essencialmente em uma crença na onipotência de alguma coisa que supera a inteligência. Da mesma forma, Marx Muller via em toda religião um esforço para conceber o inconcebível, para exprimir o inexprimível, uma aspiração ao infinito... de qualquer forma, o que é certo é que ela aparece só muito tardiamente na história das religiões. É totalmente estranha não apenas aos povos que chamamos de primitivos, mas também a todos aqueles que não atingiram certo grau de cultura intelectual.

ො ✕ ෩

Assim, a ideia de mistério nada tem de original. Ela não foi dada ao homem, foi o homem que a forjou com suas próprias mãos juntamente com a ideia contrária. É por

isso que ela ainda ocupa algum lugar apenas num pequeno número de religiões avançadas. Não se pode, pois, fazer dela a característica dos fenômenos religiosos sem excluir da definição a maioria dos fatos a definir.

ଔ ✤ ଓ

(...) a religião... é um todo formado de partes: um sistema mais ou menos complexo de mitos, dogmas, ritos, cerimônias. Ora, um todo só pode ser definido em relação às partes que o formam. Portanto, é mais correto do ponto de vista metodológico procurar caracterizar os fenômenos elementares de que é formada toda religião, antes do sistema produzido pela sua união.

ଔ ✤ ଓ

Todas as crenças religiosas conhecidas, sejam elas simples ou complexas, apresentam um mesmo caráter comum: supõem uma classificação das coisas, reais ou ideais, que os homens representam, em duas classes ou em dois gêneros opostos, designados geralmente por dois termos distintos traduzidos, relativamente bem, pelas palavras profano e sagrado.

ଔ ✤ ଓ

Temos, agora, um primeiro critério para definir as crenças religiosas (...) Mas o aspecto característico do fenômeno religioso é o fato de que ele pressupõe uma divisão bipartida do universo conhecido e conhecível em dois gêneros que compreendem tudo o que existe, mas que se excluem radicalmente. As coisas sagradas são aquelas que os interditos protegem e isolam; as coisas profanas, aquelas às quais esses interditos se aplicam e que devem permanecer a distância das primeiras. As crenças religiosas são representações que exprimem a natureza das coisas sagradas e as relações que essas mantêm entre si e com as coisas profanas. Enfim, os ritos são regras de comportamento que prescrevem como o homem deve se comportar com as coisas sagradas.

છે ✼ ஐ

(...) trata-se de um todo formado de partes distintas e relativamente individualizadas. Cada grupo homogêneo de coisas sagradas ou mesmo dada coisa sagrada de alguma importância constitui um centro de organização à volta do qual gravita um grupo de crenças e de ritos, um culto particular; e não existe religião por mais unitária que possa ser que não reconheça pluralidade de coisas sagradas... também uma religião não se reduz geralmente a culto único, mas consiste em sistema de cultos dotados de certa autonomia. Essa autonomia é, aliás, variável.

છે ✼ ஐ

Será necessário, pois, dizer que a magia não pode ser distinguida da religião com rigor; que a magia é plena de religião como a religião, de magia, e que é, por conseguinte, impossível separá-las e definir uma sem a outra? Mas o que torna essa tese dificilmente sustentável é a aversão profunda da religião pela magia e, consequentemente, a hostilidade da segunda para com a primeira. A magia põe uma espécie de prazer profissional em profanar as coisas santas; nos seus ritos, ela assume posição oposta à das cerimônias religiosas.

DURKHEIM • **ESPINOSA** • AGOSTINHO • NIETZSCHE   *Religião*

A religião, por sua vez, embora não tenha condenado e proibido sempre os ritos mágicos, olha-os em geral de modo desfavorável.

Espinosa

Trechos de *Tratado Teológico-Político*

O Tratado Teológico-Político *foi proibido tanto na França como nos Países Baixos, estava em posição única entre os escritos de Espinosa, publicados na França durante o Iluminismo. Esse livro é especialmente cáustico, porque defende que a bíblia não é um livro revelado por Deus, mas sim escrito por pessoas comuns em diferentes épocas.* É por essas e outras que Espinosa é considerado por muitos — até hoje — *um autor maldito.*

[...] o método de interpretar a Escritura não difere em nada do método de interpretar a natureza; concorda até inteiramente com ele. Na realidade, assim como o método para interpretar a natureza consiste essencialmente em descrever a história da mesma natureza e concluir daí, com base em dados certos, as definições das coisas naturais, também para interpretar a Escritura é necessário elaborar a sua história autêntica e, depois, com base em dados e princípios certos, deduzir daí como legítima consequência o pensamento dos **seus autores**.

(...)

👉 **Este pensamento de Espinosa** é incrivelmente moderno. Até a disseminação das ideias de Espinosa, a Bíblia era tida como obra divina, incontestável porque concedida por Deus ao Homem. Espinosa, ao contrário, percebe que os diversos livros que constituem as Escrituras foram produzidos por diversos autores em diferentes épocas. Para ele, o método científico, "o método de interpretar a natureza", deve ser o mesmo empregado para interpretar a Bíblia. Por estas e por outras, ele foi visto como um autor a serviço do mal. Diziam que em vez de se chamar Bendito, isto é, Benedictus, seu primeiro nome em latim, deveria se chamar Maledictus.

ℹ️ *Retrato de Espinosa, autor desconhecido, século XVII, óleo sobre tela.*

257

Por lei humana, entendo uma regra de vida que serve unicamente para manter a segurança do indivíduo e da coletividade; por lei divina, entendo uma regra que diz respeito apenas ao soberano bem, isto é, ao verdadeiro conhecimento e amor de Deus.

(...) todas as coisas que existem na natureza implicam e exprimem a ideia de Deus na proporção de sua essência e da sua perfeição (...) quanto mais conhecemos as coisas naturais, maior e mais perfeito conhecimento adquirimos de Deus.

Sendo o amor de Deus a suprema felicidade, a beatitude do homem, o fim último e o objetivo de todas as suas ações, só segue a lei divina quem procura amar a Deus, não por temer o castigo nem por amor de nenhuma outra coisa, sejam prazeres, fama etc., mas apenas porque conhece a Deus, ou seja, porque sabe que o conhecimento e o amor de Deus são o bem supremo.

[...] se não podemos demonstrar pela razão a verdade ou falsidade do princípio fundamental da teologia, segundo o qual os homens se salvam apenas pela obediência, poder-se-á objetar-nos: por que é que acreditamos então nesse princípio? (...) A minha resposta é que admito absolutamente que esse dogma fundamental da teologia não pode ser investigado pela luz natural ou, pelo menos, não houve ainda ninguém que o demonstrasse, pelo que a revelação foi extremamente necessária; no entanto, nós podemos usar a faculdade de julgar para abraçarmos, pelo menos com uma certeza moral, aquilo que foi revelado.

Uma vez que não podemos compreender pela luz natural que a simples obediência é uma via para a salvação, e uma vez que a revelação ensina acontecer assim por uma singular graça de Deus impossível de atingir pela razão, segue-se que a Escritura veio trazer aos mortais uma enorme consolação.

Se os homens pudessem, em todas as circunstâncias, decidir pelo seguro, ou se a fortuna lhes mostrasse sempre favorável, jamais seriam vítimas da superstição.

Como se encontram frequentemente perante tais dificuldades que não sabem que decisão hão de tomar, e como os incertos benefícios da fortuna que desenfreadamente cobiçam os fazem oscilar, a maioria das vezes, entre a esperança e o medo, estão sempre a pontos a acreditar seja o que for.

Espinosa

Breve Tratado de Deus, do Homem e do Seu Bem-Estar

Que Deus Existe:

[1] Acerca do primeiro ponto — a saber, se existe um Deus —, nós dizemos que isto pode ser demonstrado:

Primeiro *a priori*, com o segue:

1. Tudo o que nós clara e distintamente entendemos pertencer à natureza, de uma coisa, nós o podemos afirmar também com verdade desta coisa.

Mas podemos entender clara e distintamente que a existência pertence à natureza de Deus. Logo.

[2] E também de outra maneira:

2. A s essências das coisas são desde toda a eternidade e permanecerão imutáveis por toda a eternidade.

A existência de Deus é essência. LOGO.

[3] *A posteriori*, da seguinte maneira: Se o homem tem uma ideia de Deus, então Deus deve existir formalmente. Mas o homem tem uma ideia de Deus. LOGO.

[4] O primeiro ponto [do parágrafo anterior] demonstramos assim: Se existe uma ideia de Deus, a causa desta ideia deve existir [ser] formalmente e conter em si mesma tudo o que a ideia contém objetivamente; mas existe uma ideia de Deus. LOGO.

[5] Para mostrar a primeira parte deste último raciocínio, estabelecemos os seguintes princípios fundamentais, a saber:

1. Que as coisas cognoscíveis são infinitas.
2. Que um intelecto finito não pode conter o infinito.
3. Que um intelecto finito não pode entender nada por si mesmo se não está determinado por algo exterior; pois, assim como não tem poder para entender tudo simultaneamente, tampouco tem o poder, por exemplo, para começar ou pôr-se a entender isto antes daquilo, ou aquilo antes disto. Não podendo, pois, nem o primeiro tampouco o segundo, não pode nada [por si mesmo].

[6] A primeira parte (ou maior) [do § 4] se demonstra assim: Se a própria ficção humana fosse a única causa de sua ideia, seria impossível que o homem pudesse conceber algo; mas ele pode conceber alguma coisa. Logo.

[7] A primeira parte [do § 6] se demonstra pelo primeiro princípio fundamental: nomeadamente, que as coisas cognoscíveis são infinitas, e, de acordo com o segundo princípio fundamental, o intelecto humano não pode entender tudo, porque é limitado e, não sendo determinado por nenhuma coisa externa a entender isto antes que aquilo ou aquilo antes que isto, ser-lhe-á impossível, segundo o terceiro princípio, poder entender o que quer que seja.

[8] Por tudo isso, fica demonstrada a segunda afirmação [do § 6], nomeadamente, que a causa da ideia

que o homem tem não é a própria ficção humana, mas sim uma causa exterior que obriga o homem a entender uma coisa antes da outra, sendo isso nada outro senão que as coisas existem formalmente e estão umas mais próximas a ele do que outras, cuja essência objetiva está em seu intelecto. Assim, visto que o homem tem a ideia de Deus, está claro que Deus deve existir formalmente, e não eminentemente, posto que acima ou fora d'Ele não há nada mais real ou mais excelente.

[9] Agora, que o homem tenha a ideia de Deus [como se afirma na menor do § 3], isso está claro, posto que ele entende Seus atributos e esses atributos não podem ser produzidos por ele, já que é imperfeito.

Mas que ele [o homem] entenda esses atributos, isso se depreende com evidência de que ele sabe, por exemplo, que o infinito não pode estar composto de partes diversas limitadas; que não podem existir dois infinitos, mas somente um; e esse infinito é perfeito e imutável, pois é bem sabido que nenhuma coisa busca, por si mesma, sua própria aniquilação; e que tampouco pode se transformar em algo melhor, dado que é perfeito, senão não o seria; ou tampouco que possa estar submetido a algo que proceda do exterior, já que é onipotente etc.

[10] De tudo isso se segue claramente que se pode demonstrar, *a priori* e *a posteriori*, que Deus existe. Porém, é melhor [a demonstração] *a priori*. Porque as coisas que [não] se demonstram assim, deve-se prová--las por suas causas externas, o que constitui para elas uma imperfeição manifesta, porque não podem dar-se a conhecer a si mesmas por si mesmas, mas somente por meio de causas exteriores. Deus, ao contrário, por ser a

primeira causa de todas as coisas e causa também de si mesmo, dá-se a conhecer a si mesmo por si mesmo. Por conseguinte, não tem grande valor o que diz Tomás de Aquino: a saber, que Deus não poderia ser demonstrado *a priori* porque certamente não tem causa alguma.

Agostinho

Trechos de *A Cidade de Deus*

Nesse livro, Agostinho descreve a cidade de Deus e a cidade dos homens, que para ele representam as dimensões histórica e metafísica, divididas entre a luz (a cidade de Deus) e as trevas (a cidade dos homens). A Cidade de Deus é importante, porque é uma marca forte para a Filosofia, não só por causa do seu sentido religioso, mas também porque aqui Agostinho investigou o sentido do tempo e da história.

Devemos conhecer a Babilônia, na qual nos tornamos cativos; e a Jerusalém, para a qual nos voltamos e almejamos chegar. Pois as duas são cidades no sentido real do termo.

༶ ✺ ༶

Dois amores construíram duas cidades: a cidade terrena a fez o amor de si mesma até o desprezo de Deus; a cidade celeste a fez o amor de Deus até o desprezo de si mesma.

༶ ✺ ༶

Estes dois amores, dos quais um é santo e o outro maculado; um voltado para o bem do outro e o outro egoísta;

um olhando sempre os bens sob o ângulo do Bem maior e o outro, usando os bens públicos como se fossem particulares, sob o ângulo do domínio usurpador; um cheio de Deus, o outro cheio de cobiça, de ambição; um tranquilo, o outro confuso; um pacífico, o outro belicoso; um pretendendo para o próximo o mesmo que para si; o outro pretendendo sujeitar ao próximo o domínio de si (da sua vontade); um governando para a utilidade do próximo, o outro para a sua.

CR ✤ ℬD

Há um apetite de vingança, há um de enriquecimento que se chama avareza, há um apetite de vitória que se chama pertinácia (persistência em querer guerrear); há um apetite de glória que se chama soberba. Há muitos outros apetites, alguns com nomes, outros sem. Quem dará um nome próprio ao apetite de domínio que pesa tanto na alma dos tiranos como as guerras civis nos atestam?

CR ✤ ℬD

E assim como um só justo vive a fé, assim viverão também o conjunto e o povo desses justos, da fé que opera por meio da caridade, que leva o homem a amar a Deus como deve e ao próximo como a si mesmo.

CR ✤ ℬD

Os santos nada perdem quando perdem as coisas temporais

Depois de teres pensado nestas coisas e as teres examinado maduramente, repara se aos homens crentes e piedosos algum mal acontece que se lhes não converta em bem — a não ser que se julgue falha de sentido esta afirmação do Apóstolo:

Sabemos que todas as coisas cooperam para o bem dos que amam a Deus.

Perderam tudo o que tinham. Perderam, porém, a fé? Perderam a sua religião? Perderam os bens do homem interior que, perante Deus, é rico? São estas as riquezas de Cristo com as quais o Apóstolo se considerava opulento.

É um grande lucro a religião, desde que nos baste. Nada de fato trazemos para este mundo, assim como dele nada poderemos levar. Devemos estar contentes, desde que tenhamos que comer e que vestir. Os que pretendem ser ricos caem em tentações, em armadilhas e em muitos e loucos desejos, que afundam os homens na ruína e na perdição. A avareza é de fato a raiz de todos os males. Os que se lhe prendem desviaram-se da fé e envolveram-se em múltiplas dores.

CR ✼ ℘

Mas tenho ainda algumas coisas a dizer contra os que atribuem todas as desgraças da república romana à nossa religião, que proibiu que se sacrificasse aos seus deuses. Devem com efeito ser relatadas todas aquelas desgraças, que venham a propósito e pareçam suficientes, suportadas por aquela cidade e pelas províncias por ela governadas antes da proibição dos sacrifícios. Sem dúvida que atribuiriam todas a nós, se a nossa religião já antes delas brilhasse a seus olhos ou já lhes tivesse proibido os seus cultos sacrílegos.

Em seguida, deve-se mostrar por que virtudes obtiveram o engrandecimento do Império e por que motivo

Deus, de quem dependem todos os reinos, lhes prestou o seu auxílio.

Deve-se ainda mostrar como o poder dos que eles chamam deuses de nada lhes serviu — e, pelo contrário, quanto os prejudicaram com os seus enganos e mentiras.

Por fim, responder-se-á aos que, já refutados e convencidos com evidentíssimas provas, procuram sustentar que convém venerar os deuses, não por causa dos interesses da vida presente, mas por causa dos da vida que há de vir depois da morte. Se não me engano, é um assunto muito mais trabalhoso, muito mais sutil e digno da mais elevada discussão. Trata-se de discutir com filósofos — não com quaisquer filósofos, mas com os mais ilustres, com os que gozam entre eles da mais elevada fama e que conosco estão de acordo em muitos pontos tais como: imortalidade.

❦

Carácter salvífico da religião cristã

Ao verem que, pelo nome de Cristo, os homens se libertavam do jugo infernal dessas potestades imundas e da sua comunidade de castigo, ao verem que os homens passavam da perniciosíssima noite da impiedade para a luz salutar da piedade — os iníquos e ingratos, profunda e enraizadamente possuídos por esses espíritos nefastos, lastimam-se e murmuram.

E isto porque as multidões afluem às igrejas: formam uma casta assembleia com uma separação honesta de sexos; ali aprendem como se deve viver virtuosamente no tempo para, depois da morte, se merecer a felicidade na eternidade; ali, na presença de todos e de um lugar elevado se proclamava a Santa Escritura; os que não a cumprem

Manual de Sobrevivência Filosófico

ouvem-na para castigo. Se por acaso, ali acorrem alguns zombadores de tais preceitos, toda a sua petulância em repentina mudança se desvanece ou é reprimida pelo temor e pelo respeito. Efetivamente, ali nada de vergonhoso, nada de vicioso é proposto para ser visto ou para ser imitado; ali se inculcam os preceitos e se contam os milagres do verdadeiro Deus; ali se louvam os seus dons ou se solicitam as suas graças.

☙ �֍ ❧

Sob que pretexto de utilidade os chefes das nações quiseram que as falsas religiões se mantivessem entre os povos que lhes estavam submetidos

Diz ainda Varrão, a propósito da genealogia dos deuses, que os povos estão mais inclinados a ouvir os poetas do que os filósofos. É por isso que os seus antepassados, isto é, os antigos romanos, acreditaram no sexo e na genealogia dos deuses e lhes atribuíram casamentos. Parece que isto aconteceu só pela razão de que a pretensa prudência e sabedoria dos homens se preocupava em enganar o povo em matéria de religião, servindo assim e imitando os demônios, cujo maior desejo é enganar. Com efeito, assim como os demônios não se podiam apoiar senão naqueles que começaram por enganar, assim também os chefes, certamente homens não justos mas semelhantes aos demônios, inculcavam como verdade aos povos, sob o nome de religião, crenças que sabiam que eram vãs. Desta maneira, prendiam-nos, a bem dizer, mais eficazmente, à sociedade civil, para os manterem semelhantemente submetidos. Quem pois, débil e ignorante, poderia escapar a chefes das nações e demônios, uns e outros enganadores?

Religião

☙ ✤ ❧

Desde a origem da humanidade que este mistério da vida eterna foi, por meio de símbolos e de sinais sagrados apropriados aos tempos, anunciado pelos anjos aos que o deviam conhecer. Depois, o povo hebreu foi congregado numa espécie de Estado encarregado de realizar este mistério. Aí, pela voz de certos homens, uns disso conscientes outros inconscientes, foi predito tudo o que devia acontecer desde a vinda de Cristo até os nossos dias e depois. Posteriormente este povo dispersou-se por diversas nações, para dar testemunho das Escrituras em que se anunciava a salvação eterna que viria a realizar-se em Cristo. Porque, não apenas as profecias, que consistem em palavras, nem apenas os preceitos da vida, que regem os costumes e a religião, e estão contidos nessas Escrituras, mas também os ritos sagrados, o sacerdócio, o tabernáculo ou o templo, os altares, os sacrifícios, as cerimônias, os dias de festa e as outras instituições pertinentes ao serviço a Deus devido, serviço a que os gregos chamam XxrpsLa: — tudo isto figurou e pressagiou os acontecimentos que para a vida eterna dos fiéis em Cristo se realizaram, como nós acreditamos, se realizam, como estamos a ver, e se virão a realizar, como esperamos.

☙ ✤ ❧

Excelência da religião Cristã entre as disciplinas religiosas

Um cristão instruído apenas nas letras eclesiásticas talvez ignore o nome dos platônicos e não saiba que em língua grega houve duas correntes filosóficas — a jônica e a itálica. Não é, porém, tão surdo para as coisas humanas que desconheça que os filósofos se dedicam ao estudo e à prática da sabedoria. Todavia acautela-se dos que filosofam em conformidade com os elementos deste mundo, e não em conformidade com Deus por quem o mundo foi feito. É que ele está avisado pelo preceito apostólico a que presta atenção com fé:

Acautelai-vos, não vos deixeis enganar pelas vãs seduções duma filosofia conforme aos elementos do mundo!

Mas para que não se pense que todos são assim, ouve também o que de alguns diz o Apóstolo:

Porque o que de Deus se pode conhecer está patente. O próprio Deus o manifestou. Desde que o Mundo existe, as suas perfeições invisíveis tomaram-se visíveis ao espírito por meio das suas obras, bem como o seu eterno poder e a sua divindade.

Dirigindo-se aos atenienses, depois de ter dito de Deus aquela extraordinária palavra que por bem poucos pode ser compreendida, é *nele que vivemos, nos movemos e somos* (col., acrescenta): *Como o disseram alguns dos vossos.*

Com certeza que o cristão também sabe que deles se deve acautelar em assuntos em que se enganam. Efetivamente, onde está referido que *Por meio das coisas criadas Deus revelou as suas perfeições invisíveis, acessíveis à inteligência,* também está referido que não prestaram ao próprio Deus o seu legítimo culto, rendendo a outros seres que não o mereciam as honras divinas que só a Ele são devidas:

Realmente, embora tenham conhecido Deus, não o glorificaram como Deus e não lhe deram graças, mas perderam-se nos seus pensamentos e o seu coração insensato se obnubilou. Apelidando-se a si próprios de sábios tomaram-se loucos e substituíram a glória de Deus incorruptível por imagens de homens corruptíveis, aves, quadrúpedes e répteis.

Alude neste passo aos romanos, gregos e egípcios que se gloriam com o nome de sábios. Mais tarde com eles discutiremos acerca deste assunto. Mas se se trata do Deus único, autor desta universalidade, d'Aquele que, pela sua incorporeidade não só está acima de todos os corpos, mas também, pela sua incorruptibilidade, está acima de todas as almas — ele, nosso princípio, nossa luz, nosso bem —, na medida em que conosco estão de acordo sobre estes pontos preferimo-los aos demais.

Um cristão pode desconhecer as obras literárias desses filósofos; pode não saber usar, nas suas discussões, termos que não aprendeu; pode não saber chamar: natural com os latinos, ou física, com os gregos, a esta parte da filosofia que trata do estudo da natureza; racional ou lógica à outra em que se procura a maneira de atingir a verdade; moral ou ética àquela em que se trata dos costumes, dos fins bons a atingir, dos fins maus a evitar. Mas o que este Cristão não ignora é que é do único, verdadeiro e perfeito Deus que recebemos a natureza, pela qual fomos feitos à sua imagem; doutrina, pela qual o conhecemos a Ele e nos conhecemos a nós; e a graça, pela qual nos tornamos felizes, unindo-nos a Ele.

É esta a razão pela qual os preferimos aos demais — porque, ao passo que os outros gastaram o seu talento e os seus esforços na busca das causas das coisas, dos métodos do conhecimento e das regras da vida, estes, uma vez conhecido Deus, ficaram a saber onde encontrar a causa realizadora do universo, a luz para descobrir a verdade, a fonte onde se bebe a verdade. Os que estão de acordo conosco são os que têm semelhante concepção de Deus, quer eles sejam platônicos, quer eles sejam quaisquer outros filósofos de qualquer nação. Mas pareceu-nos preferível tratar destas questões com os platônicos porque as suas obras são mais conhecidas. Realmente os gregos, cuja língua sobressai entre os povos, fizeram delas os maiores encômios, e os latinos, movidos pela sua excelência e glória, aprenderam-nas mais gostosamente e traduziram-nas para a nossa língua, assegurando-lhes assim maior brilho e fama.

Nietzsche

Trechos de *O Anticristo*

Esse livro é o martelo que Nietzsche usou para marretar o cristianismo. Para ele, a ética cristã é prejudicial às pessoas, porque produz a moral dos fracos, dos escravos. Seria uma espécie de mínimo denominador comum que impede que o homem se torne o super-homem — o pico da nossa vocação humana que Nietzsche chamava de übermensch *— e valoriza o homem que segue a manada.*

Não devemos enfeitar nem embelezar o cristianismo: ele travou uma guerra de morte contra este tipo de homem superior, anatematizou todos os instintos mais profundos desse tipo, destilou seus conceitos de mal e de maldade personificada a partir desses instintos — o homem forte como um réprobo, como "degredado entre os homens". O cristianismo tomou o partido de tudo o que é fraco, baixo e fracassado; forjou seu ideal a partir da oposição a todos os instintos de preservação da vida saudável; corrompeu até mesmo as faculdades daquelas naturezas intelectualmente mais vigorosas, ensinando que os valores intelectuais elevados são apenas pecados, descaminhos, tentações. O exemplo mais

lamentável: o corrompimento de Pascal, o qual acreditava que seu intelecto havia sido destruído pelo pecado original, quando na verdade tinha sido destruído pelo cristianismo!

○✣○

Uma crítica da concepção cristã de Deus conduz inevitavelmente à mesma conclusão. — Uma nação que ainda acredita em si mesma possui seu próprio Deus. Nele são honradas as condições que a possibilitam sobreviver, suas virtudes — projeta o prazer que possui em si mesma, seu sentimento de poder, em um ser ao qual pode agradecer por isso. Quem é rico lhe prodigaliza sua riqueza; uma nação orgulhosa precisa de um Deus ao qual pode oferecer sacrifícios... A religião, dentro desses limites, é uma forma de gratidão. O homem é grato por existir: para isso precisa de um Deus. — Tal Deus precisa ser tanto capaz de beneficiar quanto de prejudicar; deve ser capaz de representar um amigo ou um inimigo — é admirado tanto pelo bem quanto pelo mal que causa. Castrar esse Deus, contra toda a natureza, transformando-o em um Deus somente de bondade, seria contrário à inclinação humana. A humanidade necessita igualmente de um Deus mau e de um Deus bom; não deve agradecer por sua própria existência à mera tolerância e à filantropia... Qual seria o valor de um Deus que desconhecesse o ódio, a vingança, a inveja, o desprezo, a astúcia, a violência? Que talvez nem sequer tenha experimentado os arrebatadores *ardeurs* (ardores) da vitória e da destruição? Ninguém entenderia tal Deus: por que alguém o desejaria? — Sem dúvida, quando uma nação está em declínio, quando sente que a crença em seu próprio futuro, sua esperança de liberdade estão se esvaindo, quando começa a enxergar a submissão como primeira necessidade e como medida de autopreservação, então precisa também modificar seu Deus. Ele então se torna hipócrita, tímido e recatado; aconselha a "paz na alma", a ausência de ódio, a indulgência, o "amor" aos amigos e aos inimigos. Torna-se um moralizador por excelência; infiltra-se em toda virtude privada; transforma-se no Deus de todos os homens; torna-se um cidadão privado, um cosmopolita... Noutros tempos representava um povo, a força de um povo, tudo que em suas almas havia de agressivo e sequioso de poder; agora é simplesmente o bom Deus... Na verdade não há alternativa para os deuses: ou são a vontade de poder — no caso de serem os deuses de uma nação — ou a inaptidão para o poder — e neste caso precisam ser bons.

ଓ ✕ ଛ

Em minha condenação do cristianismo certamente espero não injustiçar uma religião análoga que possui um número ainda maior de seguidores: aludo ao budismo. Ambas devem ser consideradas religiões niilistas — são religiões da *décadence* — mas distinguem-se de um modo bastante notável. Pelo simples fato de poder compará-las, o crítico do cristianismo está em débito com os estudiosos da Índia. — O budismo é cem vezes mais realista que o cristianismo — é parte de sua herança de vida ser capaz de encarar problemas de modo objetivo e impassível; é o produto de longos séculos de especulação filosófica. O conceito "Deus" já havia se estabelecido antes dele surgir. O budismo é a única religião genuinamente positiva que pode ser encontrada na História, e isso se aplica até mesmo à sua epistemologia (que é um fenomenalismo estrito) — ele não fala sobre "a luta contra o pecado", mas, rendendo-se à realidade, diz "a luta contra o sofrimento". Diferenciando-se nitidamente do cristianismo, coloca a autodecepção que existe nos conceitos morais por detrás de si; isso significa, em minha linguagem, além do bem e do mal. — Os dois fatos fisiológicos nos quais se apoia e aos quais direciona a maior parte de sua atenção são: primeiro, uma excessiva sensibilidade à sensação que se manifesta por meio de uma refinada suscetibilidade ao sofrimento; segundo, uma extraordinária espiritualidade, uma preocupação muito prolongada com os conceitos e com os procedimentos lógicos, sob a influência da qual o instinto de personalidade submete-se à noção de "impessoalidade" (ambos esses estados serão familiares a alguns de meus leitores, os objetivistas, por experiência própria, assim como são para mim). Esses estados fisiológicos produzem uma depressão, e Buda tentou combatê-la por meio de medidas higiênicas. Prescreveu a vida ao ar livre, a vida nômade; moderação na alimentação e uma cuidadosa seleção dos alimentos; prudência em relação ao uso de intoxicantes; igual cautela em relação a quaisquer paixões que induzem comportamentos biliosos e aquecimento do sangue; finalmente, não se preocupar nem consigo nem com os outros. Encoraja ideias que produzam serenidade ou alegria — e encontra meios de combater as ideias de outros tipos. Entende o bem, o estado de bondade, como algo que promove a saúde. A oração não está inclusa, e nem o asceticismo. Não há um imperativo categórico ou qualquer disciplina, mesmo dentro dos monastérios (dos quais é sempre permitido sair). Todas essas coisas seriam simplesmente meios para aumentar aquela excessiva sensibilidade supramencionada. Pelo mesmo motivo não advoga qualquer conflito contra os incrédulos; seus ensinamentos não antagonizam nada senão a vingança, a aversão, o ressentimento ("inimizade nunca põe fim à inimizade": o refrão que move o budismo...). E nisso tudo estava correto, pois são precisamente essas paixões que, na perspectiva de seu principal objetivo regimental, são insalubres. A fadiga mental que apresenta, já claramente evidenciada pelo excesso de "objetividade" (isto é, a perda do interesse em si mesmo, a perda do equilíbrio e do "egoísmo"), é combatida por vigorosos esforços a fim de levar os interesses espirituais de volta ao ego. Nos ensinamentos de Buda o egoísmo é um dever. A "única coisa necessária", a questão "como posso me libertar do sofrimento", é o que rege e determina toda a dieta espiritual (talvez alguém lembrar-se-á daquele ateniense que também declarou guerra ao "cientificismo" puro, a saber, Sócrates, que também elevou o egoísmo à condição de princípio moral).

ಌ ✠ ೞ

Quando o cristianismo abandonou sua terra natal, aqueles das classes mais baixas, o submundo da Antiguidade, e começou a buscar poder entre os povos bárbaros, não tinha mais de se relacionar com homens exauridos, mas homens ainda intimamente selvagens e capazes de sacrifícios — em suma, homens fortes, mas atrofiados. Aqui, distintamente do caso dos budistas, a causa do descontentamento consigo, do sofrimento por si, não é meramente uma sensibilidade extremada e uma suscetibilidade à dor, mas, ao contrário, uma excessiva ânsia por infligir sofrimento aos outros, uma tendência a obter uma satisfação subjetiva em feitos e ideias hostis. O cristianismo tinha de adotar conceitos e valorações bárbaras para obter domínio sobre os bárbaros: assim como o sacrifício do primogênito, a ingestão de sangue como um sacramento, o desprezo pelo intelecto e pela cultura; a tortura sob todas as suas formas, corporal e espiritual; toda a pompa do culto. O budismo é uma religião para pessoas em um estágio mais adiantado de desenvolvimento, para raças que se tornaram gentis, amenas e demasiado espiritualizadas (a Europa ainda não está madura para ele): é um convite de retorno à paz e à felicidade, a um cuidadoso racionamento do espírito, a um certo enrijecimento do corpo. O cristianismo visa dominar animais de rapina; sua estratégia consiste em torná-los doentes — enfraquecer é a receita cristã para domesticar, para "civilizar". O budismo é uma religião para o final, para os derradeiros estágios de cansaço da civilização. O cristianismo surge antes de a civilização mal ter começado — sob certas circunstâncias cria as próprias fundações desta.

Sabedoria Prática

Para de viajar na maionese!

Um bom número de filósofos se dedicou a descobrir como ser feliz e viver bem. Essa reflexão foi inaugurada por Sócrates, que dizia que precisamos encontrar o bem maior por meio das ações corretas, e se desenvolveu mesmo depois de Alexandre, o Grande, acabar com a segurança da cidade-Estado. Com as conquistas de Alexandre, o mundo começou a ser varrido por guerras, continuadas pelos romanos, numa era de impérios se chocando e se alastrando à custa de muito sangue. Diversas escolas filosóficas surgiram para dar um sentido a essa loucura toda pela busca do bem-viver. Os cínicos, os estoicos, os céticos apareceram com fórmulas sobre como superar a loucura do mundo e ter uma vida bacana apesar da insensatez que nos cerca. Aqui vão algumas pérolas:

Manual de Sobrevivência Filosófico

Epicuro

Trecho da *Carta a Meneceu*

De tudo isso, o princípio e o bem supremo é a prudência que, justamente por isso, constitui algo de ainda maior valor da filosofia. Dela se originam todas as outras virtudes, e ela ensina como não é possível uma vida feliz sem que seja sábia, bela e justa, [e também que seja sábia, bela e justa] sem que seja feliz. As virtudes, com efeito, são conaturais à vida feliz, que, por sua vez, não é separável das virtudes.

Sêneca

Nascido em Córdoba, Espanha, Sêneca (4 a.C.-65 d.C.) foi um filósofo estoico e pensador político que estudou a forma correta de viver, isto é, a ética, a física e a lógica. Como todo estoico, buscava atingir a imperturbabilidade da alma, a *ataraxia*. A ética estoica teve grande influência no desenvolvimento da tradição filosófica, chegando mesmo a influenciar o pensamento ético cristão nos primórdios do cristianismo. Para os estoicos, imperturbabilidade é o sinal máximo de sabedoria e felicidade.

Sêneca procurava aplicar sua filosofia à prática. Apesar de ser rico, vivia com pouco: bebia apenas água, comia pouco, dormia sobre um colchão duro.

O filósofo sustentava que os sentimentos como vontade, cobiça, receio e tantos mais devem ser ultrapassados. O objetivo não é a perda de sentimentos, mas a superação dos sentimentos e emoções. Os bens podem ser adquiridos, contudo, não se pode depender deles. Por causa disso, Sêneca não via contradição entre a sua filosofia estoica e a sua riqueza material. Para ele, o sábio não precisava viver na pobreza, desde que o seu dinheiro tivesse sido ganho de forma honesta. No entanto, devia ser capaz de abdicar da riqueza.

Para Sêneca, o destino é uma realidade. O homem pode apenas aceitá-lo ou rejeitá-lo. Não tem outra opção. Se o aceitar de livre vontade, goza de liberdade. A morte é um dado natural.

O filósofo não só viveu, mas também morreu de modo estoico. Sêneca foi preceptor, isto é, professor, de Nero. Depois de ter virado imperador e de ter ficado maluco, Nero acusou o antigo professor de participar de uma suposta conspiração contra ele. Tudo na cabeça dele. E viajando na maionese da conspiração, Nero condenou Sêneca a suicidar — uma pena reservada aos nobres, tipo, quase uma bênção. E Sêneca aceitou a injusta condenação. Na noite em que recebeu o veredito, entrou numa banheira de água quente e cortou os pulsos.

Trechos de *Cartas a Lucílio*

Sêneca escreveu diálogos e sátiras inspiradas no modelo grego. Deixou também uma grande correspondência. Entre essas cartas, há 124 destinadas a Lucílio. São conselhos práticos e reflexões morais. Bem sabedoria prática.

(...)
Veja o quanto o sábio basta a si mesmo: algumas vezes está satisfeito com parte de si. Se ou doença ou inimigo tenha-lhe privado da mão, se o acaso lhe arrancou um olho ou os olhos, suas partes que restam lhe bastarão, e será tão contente num corpo diminuto e amputado quanto foi num íntegro. Mas, mesmo se não sente falta

das partes perdidas, não deseja perdê-las. Desse modo, o sábio se basta, não para que deseje estar sem amigos, mas para que possa estar sem amigos.

E este "possa" que digo é tal: com espírito equânime suporta a perda do amigo. Sem amigo, na verdade, nunca estará. Sabe como rapidamente reparar a perda. Do mesmo modo que, se Fídias perdeu uma estátua, logo faz outra, assim aquele artífice de fazer amizades dispõe outro no lugar do perdido. Indagas de que modo faça rapidamente um amigo? Direi, se estivermos quites quanto a esta carta sobre o que foi acordado entre nós que eu te pague constantemente. Disse Hecato: "Eu te mostrarei um filtro amoroso sem droga, sem ervas, sem encantamento de feiticeira alguma: se desejas ser amado, ama".

Por outro lado, certamente há grande prazer não somente na posse da antiga amizade, mas também no início e na aquisição da nova. A diferença que há entre o agricultor fazendo a colheita e semeando, há entre aquele que obteve um amigo e aquele que o obtém. O filósofo Attalus costumava dizer ser mais agradável fazer um amigo que conservá-lo, do mesmo modo que é mais agradável para o artista pintar que ter pintado. Aquele cuidado dispensado em sua obra traz em si grande distração na própria ocupação. Não igualmente se deleita quem remove a mão da obra acabada. Já usufrui o fruto da própria arte; a mesma arte usufruiu quando já tenha pintado. Mais frutuosa é a adolescência dos filhos, mas a infância é mais doce.

(...)

De fato, assim como há um encanto inato para nós por outras coisas, assim há pela amizade. Do mesmo modo que há aversão pela solidão e desejo de comunidade, do mesmo modo que a natureza une o homem ao homem,

EPICURO • SÊNECA • EPITETO • MARCO AURÉLIO   **Sabedoria Prática**

assim também há nesse assunto um estímulo que nos faz desejosos de **amizades**.

Entretanto, ao mesmo tempo em que seja amantíssimo dos amigos, ao mesmo tempo em que os ponha no mesmo plano, ao mesmo tempo em que muitas vezes os ponha à frente de si mesmo, conservará todo bem em si mesmo e dirá o que disse Stilbo, Stilbo que a carta de Epicuro apresenta. Esse Stilbo, tendo sido tomada a sua pátria, tendo perdido seus filhos, tendo perdido sua esposa, saindo do incêndio público só e, contudo, feliz, sendo interrogado por Demétrio (cujo apelido em razão da destruição de cidades foi Poliórcetes) se acaso tivesse perdido algo, disse: "todos os meus bens estão comigo". Eis um homem forte e corajoso! Venceu a própria vitória de seu inimigo. "Nada — diz Stilbo — perdi"; forçou Demétrio a duvidar que tivesse vencido. "Todos os meus bens estão comigo." Isso mesmo é nada que possa ser arrancado pensar ser um bem.

Olhamos com admiração certos animais que atravessam as chamas sem danos nos corpos; quão mais admirável é esse homem que saiu ileso e indene através de espadas, ruínas e chamas! Vês quão mais fácil é vencer toda a gente que um só? Ele tem esse dito em comum com os estoicos. Igualmente também esse Stilbo conduz os bens intactos através de cidades reduzidas a cinzas. O sábio se basta a si mesmo. Isso, no fim, determina sua felicidade.

(...)

Que importa qual seja a tua condição se ela é mal vista por ti? "E então — indagas — se alguém declarasse feliz aquele que é rico da maneira mais

👉 **A amizade é um tópico muito discutido** pelos filósofos estoicos, e também por outros, como Platão e Aristóteles. Esses pensadores perceberam que, na amizade, a abertura de cada um ao outro promove um engrandecimento do eu. A amizade, então, abre um espaço que nos permite afastar do egoísmo, fugir dessa ideia de que o comportamento racional implica a tentativa de maximizar os próprios interesses.

ⓘ *Les noisettes*, William Adolphe Bouguereau, 1882, óleo sobre tela.

Demétrio de Corinto foi um filósofo cínico que viveu em Roma durante os reinos de Calígula, Nero e Vespasiano.

❶ *Escola de Atenas*, Rafael Sanzio, 1510/11, afresco.

torpe e que é senhor de muitos, mas escravo de muitos mais, sua sentença o faz feliz?" Não importa o que se diz, mas o que se sente. E não o que se sente uma vez, mas o que se sente continuamente. Não há razão para temer que um homem indigno atinja coisa de tamanha qualidade: só o sábio está contente com o que é seu. Toda tolice padece de repugnância por si mesma. Adeus.

(...)

Somos enganados por aqueles que nos querem fazer crer que uma multidão de assuntos bloqueia a busca de estudos intelectuais; eles fazem um fingimento de seus compromissos, e os multiplicam, quando seus compromissos são meramente com eles. Quanto a mim, Lucílio, o meu tempo é livre; é de fato livre, e onde quer que eu esteja, sou mestre de mim mesmo. Pois não me entrego a meus negócios, mas empresto-me a eles, e não busco desculpas para desperdiçar meu tempo. E, onde quer que eu esteja, continuo minhas próprias meditações e pondero em minha mente algum pensamento saudável.

Quando me entrego a meus amigos, não me afasto da minha própria companhia, nem permaneço com aqueles que estão associados a mim por alguma ocasião especial ou alguma circunstância que surge da minha posição oficial. Mas eu passo meu tempo na companhia de todos os melhores; não importa em que terras eles possam ter vivido, ou em que idade, eu deixo meus pensamentos voar a eles.

Demétrio, por exemplo, o melhor dos homens, eu levo comigo, e, deixando os trajados em linho púrpura e fino, falo com ele, meio nu como ele é, e o tenho em alta estima. Por que eu não deveria mantê-lo em alta estima? Descobri que ele não sente falta de nada. É possível a qualquer homem desprezar todas as coisas, mas impossível a alguém possuir todas as coisas. O atalho mais curto às riquezas é desprezar as riquezas. Nosso amigo Demétrio, no entanto, vive não apenas como se tivesse aprendido a desprezar todas as coisas, mas como se as tivesse entregue para que outras pessoas as possuíssem.

Mantenha-se Forte. Mantenha-se Bem.

(...)

Saudações de Sêneca a Lucílio

Deixemos de desejar o que desejamos. Eu, pelo menos, estou fazendo isso: na minha velhice, deixei de desejar o que desejava quando era menino. A esta única extremidade meus dias e minhas noites são passados; esta é minha tarefa, este é o objeto de meus pensamentos — pôr fim aos meus males crônicos. Estou tentando viver todos os dias como se fosse uma vida completa. Não o arrebatarei de fato como se fosse o último; eu o considero, entretanto, como se pudesse mesmo ser meu último.

A presente carta é escrita com isto em mente, como se a morte estivesse prestes a me chamar durante o próprio ato de escrever. Eu estou pronto para partir, e eu devo gozar a vida apenas porque não sou demasiadamente ansioso quanto à data futura de minha partida. Antes de envelhecer, tentei viver bem; agora que estou velho, vou tentar morrer bem; mas morrer bem significa morrer alegremente. Cuide para que você nunca faça nada de má vontade.

O que é obrigado a ser uma imprescindibilidade se você se rebelar, não é uma imprescindibilidade, se você a desejar. É isso que quero dizer: aquele que acata ordens com prazer

Manual de Sobrevivência Filosófico

escapa à parte mais amarga da escravidão — fazer aquilo que não quer fazer. O homem que faz alguma coisa sob ordens não é infeliz; é infeliz quem faz algo contra a sua vontade. Portanto, fixemos nossas mentes para que possamos desejar tudo o que é exigido de nós pelas circunstâncias e, acima de tudo, que possamos refletir sobre o nosso fim sem tristeza.

Devemos preparar-nos para a morte antes de nos prepararmos para a vida. A vida está bem mobiliada, mas somos muito gananciosos em relação aos seus móveis; algo sempre nos parece faltar, e sempre parecerá faltar. Ter vivido o suficiente não depende nem de nossos anos, nem de nossos dias, mas de nossas mentes. Já vivi, meu caro amigo Lucílio, o suficiente. Eu tive minha satisfação; aguardo a morte.

Mantenha-se Forte. Mantenha-se Bem.

(...) "Os servos me deixaram". A outro roubaram, a outro falsamente acusaram, a outro assassinaram, a outro traíram, a outro esmagaram, a outro envenenaram, a outro atingiram com falsa acusação: o que quer que digas, aconteceu a muitos. Em seguida, muitos e variados dardos há e são dirigidos a nós. Alguns estão fixados em nós, alguns são lançados e chegam com força máxima, alguns, que vão atingir outros, resvalam em nós.

Em nada nos admiremos destes, para os quais nascemos; os quais, por esta razão, de modo algum devem ser lamentados, porque são pátria para todos. Assim, digo que são iguais, pois também se pode sofrer aquilo do que se escapa. Além disso, uma lei equitativa é o que é estabelecido para todos, não o que ocorre para todos. Que seja prescrita equidade ao espírito, e que paguemos sem queixas os tributos de nossa condição mortal.

O inverno faz vir o frio: é necessário gelar. O tempo traz de novo o calor: é necessário arder. A intempérie do céu provoca a saúde: é necessário adoecer. Uma fera em algum lugar se aproximará de nós, e um homem mais pernicioso

EPICURO • SÊNECA • EPITETO • MARCO AURÉLIO   *Sabedoria Prática*

que todas as feras. Algo a água, algo o fogo nos retirará. Esta condição das coisas não podemos mudar. Mas isto podemos adotar um espírito elevado e digno do homem nobre para que corajosamente suportemos as coisas fortuitas e nos harmonizemos com a Natureza. A Natureza tempera este reino que vês com as mutações: o céu sereno sucede ao coberto de nuvens; agitam-se os mares com a condição de que se acalmem; parte do céu se ergue, parte imerge. A eternidade das coisas consiste nos contrários.

É necessário que nosso espírito se adapte a esta lei; é necessário que siga esta lei, que a obedeça. E o que quer que aconteça, é necessário que pense ter devido acontecer e que não deseje repreender a Natureza, e que siga a Divindade, da qual todas as coisas provêm. Mau soldado é quem segue gemendo o comandante. Portanto, cheios de ardor e diligentes, recebamos as ordens e não desertemos o curso desta belíssima obra à qual foi entrelaçado o que quer que iremos suportar. E deste modo exortemos a Júpiter, pelo governo de quem é dirigida esta construção, do mesmo modo que nosso Cleanto exorta com versos muito eloquentes, versos os quais me é permitido traduzir para o nosso idioma pelo exemplo de Cícero, homem muito eloquente. Se te agradarem, os aprovarás, se te desagradarem, saberás que aqui segui o exemplo de Cícero:

> Conduz-me, ó Pai Excelso e Senhor do Mundo,
> Para onde quer que queiras, nenhum obstáculo
> me impedirá de seguir-te.
> Diligente, estarei junto a ti. E caso eu não queira fazer
> O que é possível ao intrépido, ainda assim seguir-te-ei
> gemendo e infeliz.
> O Destino conduz quem lhe obedece e arrasta a quem
> lhe opõe resistência.

Que vivamos assim, que falemos assim; que o destino nos encontre prontos e diligentes. Eis o espírito elevado que confiou a si mesmo ao destino. E, em oposição a ele, o fraco e degenerado, que luta contra e julga mal a ordem do mundo, e prefere corrigir os deuses do que a si mesmo. Adeus.

Epiteto

Trechos do *Manual*

Pois é, de novo o *Manual* de Epiteto,
o notório *Enquirídio*

Lembra que és um ator de uma peça teatral, tal como o quer o autor. Se ele a quiser breve, breve será. Se ele a quiser longa, longa será. Se ele quiser que interpretes o papel de mendigo, é para que interpretes esse papel com talento. E, da mesma forma, se ele quiser que interpretes o papel de coxo, de magistrado, de homem comum. Pois isto é teu: interpretar belamente o papel que te é dado — mas escolhê-lo, cabe a outro, o que queres. Mas a posição dele não é tão boa para que dele dependa a tua tranquilidade.

(...)

Lembra que não é insolente quem ofende ou agride, mas sim a opinião segundo a qual ele é insolente. Então, quando alguém te provocar, sabe que é o teu juízo que te provocou. Portanto, em primeiro lugar, tenta não ser arrebatado pela representação: uma vez que ganhares tempo e prazo, mais facilmente serás senhor de ti mesmo.

(...)

Se alguma vez te voltares para as coisas exteriores por desejares agradar alguém, sabe que perdeste o rumo. Basta que sejas filósofo em todas as circunstâncias. Mas se desejares também parecer filósofo, exibe-te para ti mesmo — será o suficiente.

(...)

Aprende-se o propósito da natureza a partir do que não discordamos uns dos outros. Por exemplo: quando o servo de outra pessoa quebra um copo, tem-se prontamente que "isso acontece". Então, se o teu copo se quebrar, sabe que é preciso que ajas tal como quando o copo de outro se quebra. Do mesmo modo, transfere isso também para as coisas mais importantes. Morre o filho ou a mulher de outro? Não há quem não diga: "É humano". Mas, quando morre o próprio filho ou a própria mulher, diz-se prontamente: "Ó desafortunado que sou!". É preciso que lembremos como nos sentimos quando ouvimos a mesma coisa acerca dos outros.

Homem! Examina primeiro de que qualidade é a coisa, depois observa a tua própria natureza para saber se a podes suportar. Desejas ser pentatleta ou lutador? Olha teus braços e coxas. Observa teus flancos, pois cada um nasceu para uma coisa. Crês que, sendo filósofo, podes comer do mesmo modo, beber do mesmo modo, ter regras e falta de humor semelhantes? É preciso que faças vigílias, que suportes fadigas, que te afastes da tua família, que sejas desprezado pelos servos, que todos riam de ti, que tenhas a menor parte em tudo: nas honras, nos cargos públicos, nos tribunais, em todo tipo de assunto de pequena monta. Examina essas coisas se queres receber em troca delas a ausência de sofrimento, a liberdade e a tranquilidade. Caso contrário, não te envolvas. Não sejas, como as crianças, agora filósofo, depois cobrador de impostos, em seguida orador, depois procurador de César. Essas coisas não combinam. É preciso que sejas um homem, bom ou mau. É preciso que cultives a tua própria faculdade diretriz ou as coisas exteriores. É preciso que assumas ou a arte acerca das coisas interiores ou acerca das exteriores. Isto é: que assumas ou o posto de filósofo ou o de homem comum.

(...)

As ações convenientes são, em geral, medidas pelas relações. É seu pai? Isso implica que cuides dele; que cedas em tudo; que o toleres quando te insulta, quando te bate. Mas ele é um mau pai? De modo algum, pela natureza, estás unido a um bom pai, mas a um pai. "Meu irmão é injusto." Mantém o teu próprio posto em relação a ele. Não examines o que ele faz, mas o que te é dado fazer, e a tua escolha estará segundo a natureza. Pois se não quiseres, outro não te causará dano, mas sofrerás dano quando supuseres ter sofrido dano. Deste modo então descobrirás as ações convenientes para com o vizinho, para com o cidadão, para com o general: se te habituares a considerar as relações.

(...)

Quando discernires que deves fazer alguma coisa, faz. Jamais evites ser visto fazendo-a, mesmo que a maioria suponha algo diferente sobre a ação. Pois se não fores agir corretamente, evita a própria ação. Mas se fores agir corretamente, por que temer os que te repreenderão incorretamente?

(...)

Assim como "é dia" e "é noite" possuem pleno valor quando em uma proposição disjuntiva, mas não em uma conjuntiva, assim também tomar a maior parte da comida tem valor para o corpo, mas não o valor comunitário que é preciso observar em um banquete. Quando então comeres com alguém, lembra de não veres somente o valor para o corpo dos pratos postos à tua frente, mas que também é preciso que guardes o respeito para com o anfitrião.

(...)
Se aceitares um papel além de tua capacidade, tanto perderás a compostura quanto deixarás de lado aquele que é possível que bem desempenhes.
(...)
O corpo é a medida das posses de cada um, como o pé o é da sandália. Se te fixares nisso, guardarás a medida. Mas se fores além, necessariamente cairás no abismo. E assim, igualmente, a respeito da sandália. Se fores muito além do pé 49, ela torna-se dourada, em seguida púrpura, depois bordada, pois, uma vez ultrapassada a medida, não há mais limite algum.
(...)
É sinal de incapacidade ocupar-se com as coisas do corpo, tal como exercitar-se muito, comer muito, beber muito, evacuar muito, copular muito. É preciso fazer essas coisas como algo secundário: que a atenção seja toda para o pensamento.

Estes argumentos são inconsistentes: "Eu sou mais rico do que tu, logo sou superior a ti"; "Eu sou mais eloquente do que tu, logo sou superior a ti". Mas, antes, estes são consistentes: "Eu sou mais rico do que tu, logo minhas posses são maiores do que as tuas"; "Eu sou mais eloquente do que tu, logo minha eloquência é maior do que a tua". Pois tu não és nem as posses, nem a eloquência.

Sinais de quem progride: não recrimina ninguém, não elogia ninguém, não acusa ninguém, não reclama de ninguém. Nada diz sobre si mesmo — como quem é ou o que sabe. Quando, em relação a algo, é entravado ou impedido, recrimina a si mesmo. Se alguém o elogia, se ri de quem o elogia. Se alguém o recrimina, não se defende. Vive como os convalescentes, precavendo-se de mover algum membro que esteja se restabelecendo, antes que se recupere. Retira de si todo o desejo e transfere a repulsa unicamente para as coisas que, entre as que são encargos nossos, são contrárias à natureza. Para tudo, faz uso do impulso amenizado. Se parecer insensato ou ignorante, não se importa. Em suma: guarda-se atentamente como se fosse um inimigo traiçoeiro.

Marco Aurélio

Marco Aurélio Verus (121-180) foi o último grande imperador da dinastia dos Nerva-Antoninos. Marco Aurélio foi, antes de mais nada, um filósofo e representa uma das maiores expressões do estoicismo. Foi dessa perspectiva que governou o Império e conduziu sua vida pessoal. Sábio, tinha consciência de que estava vivendo uma época difícil, governando uma sociedade madura e civilizada que já apresentava sinais de decadência. E quem fechou essa época difícil foi o filho de Marco Aurélio, Cômodo. E foi a maior roubada. Cômodo foi o único dos imperadores desta dinastia a herdar o título por nascimento. Negligenciou a administração e acabou assassinado.

Trechos de *Meditações*

Meditações é um dos grandes livros de um movimento filosófico chamado Estoicismo. É um registro do pensamento de Marco Aurélio, escrito como se fosse um diário. O imperador escreve sobre seu dia a dia, abordando algumas questões importantes. No texto, Marco Aurélio afirma que as ideias estoicas permitem à pessoa desenvolver a negação de uma emoção ou habilidade com o objetivo de se libertar das dores e dos prazeres do mundo material. Para Marco Aurélio, evitar grandes paixões é uma forma de sofrer menos...

Não devemos ter em conta somente que, dia a dia, se vai consumindo nossa vida e restando uma parte menor, mas computar também que, se alguém houver de viver mais tempo, não se sabe se ainda terá inteligência bastante ampla para a compreensão das questões e da teoria que aspira ao conhecimento dos assuntos divinos e humanos.

Se entrar em senilidade, não lhe faltará a respiração, o nutrimento, a imaginação, os instintos e mais funções congêneres; porém, o dispor de si próprio, o acertar na conta das obrigações, o analisar as aparências e a seu próprio respeito, não será tempo de retirar-se, e as demais cogitações análogas, que requerem um raciocínio absolutamente exercitado, apagam-se antes.

É mister, portanto, apressar-se, não só por estar a morte cada vez mais próxima, mas também por cessarem, antes dela, a percepção e o acompanhamento dos fatos.

(...)

Não gastes a parte restante da vida a cogitar nos outros, salvo quando estiveres promovendo o bem público; ou então ficarás privado de outra atividade, isto é, entregue a cismas sobre o que fulano estará fazendo e por que, o que ele diz, o que ele cogita, o que ele maquina e todas as indagações dessa espécie, que te desnorteiam e distraem da vigilância sobre o teu guia.

Assim, pois, cumpre obstar a entrada, no encadeamento das ideias, da aventura e vaidade, e muito especialmente da futilidade e malícia. Deves acostumar-te a só pensar em assuntos tais que, se perguntarem de improviso: em que pensas neste momento?, possas responder prontamente com franqueza: nisto e naquilo; assim evidenciares direta e imediatamente que tudo em si é singeleza, bondade, dum ser comunicativo e não cuidoso de sonhos sensuais ou, em suma, voluptuosos, ou de rivalidades, inveja, desconfiança ou algum outro sentimento de que hajas de corar ao confessar que o tens em mente.

O homem que assim procede, não mais adiando sua entrada definitiva para o número dos melhores, é um sacerdote, um ministro dos deuses, servidor daquele nume estabelecido em seu âmago; isso o põe a salvo da mácula dos prazeres, incólume a todo sofrimento, imune de todo excesso, inatingível a toda maldade, atleta da luta mais excelsa, para não ser derrubado por nenhuma paixão, profundamente impregnado de justiça, saudando do fundo da alma todos os acontecimentos que constituem o seu quinhão, sem imaginar amiúde, salvo por força maior e no interesse do bem público, o que outro estará dizendo, fazendo ou cogitando. Desempenhará o seu mister e terá incessantemente no pensamento a parte do todo que para ele foi tecida; de seu mister se desincumbirá nobremente e estará convencido de que seu destino é bom. Com efeito, o quinhão de sorte de cada um convém ao todo e o todo lhe convém. Não esquece que um parentesco liga todos os racionais, que o interesse por toda a Humanidade é conforme com a natureza humana e não deve apegar-se à estima de toda e qualquer pessoa, senão à de quem vive em harmonia com a natureza. Jamais esquece como são, em casa e fora, de noite e de dia, aqueles que assim não vivem. Por isso, não faz caso do louvor de tal gente, até de si mesma insatisfeita.

(...)

A lugar nenhum se recolhe uma pessoa com mais tranquilidade e mais ócios do que na própria alma, sobretudo quando tem no íntimo aqueles dons sobre os quais basta inclinar-se para gozar, num instante, de completo conforto; por conforto não quero dizer senão completa ordem.

Proporciona a ti mesmo constantemente esse retiro e refaze-te; mas haja nele aquelas máximas breves e elementares que, apenas deparadas, bastarão para fechá-lo a todo sofrimento e devolver-te livre de irritação contra o ambiente aonde regressas.

Com efeito, com o que te irritas? Com a maldade humana? Reaviva o juízo de que os viventes racionais nasceram uns para os outros; que a paciência é uma parte da justiça; que não pecam por querer; que tantos já, após ódios ferrenhos, suspeitas, rancores, jazem transpassados pela lança e reduzidos a cinza; e sossega, enfim.

Porém, estás irritado também com os quinhões do todo que te couberam? Recorda a disjuntiva ou uma providência, ou os átomos e todas as provas de que o mundo é como uma cidade.

Porém, ainda te afetarão os interesses do corpo? Considera que a inteligência não se imiscui nas agitações, suaves ou violentas, do alento, uma vez que, recolhida, haja compreendido o seu poder próprio; recorda, enfim, tudo quanto ouviste e admitiste sobre a dor e o prazer.

Porém, a gloríola te fascinará? Volta a atenção para a rapidez com que tudo se esquece, para a extensão do tempo infinito num sentido e no outro, para o vazio da repercussão, para a volubilidade e falta de critério dos aparentes aplausos e na estreiteza do espaço onde se circunscrevem.

A terra toda não passa de um ponto, e que diminuto cantinho dela é realmente a parte habitada! E ali quantos são e quem são os que te hão de louvar?

Por fim, lembra-te de teu retiro para dentro dessa nesga de terra tua e, antes de tudo, nada de tormentos e contensões; sê livre e encara as coisas como um varão, como um ser humano, como um cidadão, como um vivente mortal.

Manual de Sobrevivência Filosófico

Entre as noções mais à mão, sobre as quais te inclinarás, estejam estas duas: primeira, que as coisas não atingem a alma; param fora, quietas, e os embaraços vêm exclusivamente dos pensamentos de dentro; segunda, que tudo quanto estás vendo se transformará dentro de instantes e deixará de existir. Pensa constantemente em quantas transformações tu mesmo presenciaste.

O mundo é mudança; a vida, opinião.

Epicuro

Trechos de Textos Diversos

A filosofia e o seu objetivo

Todo desejo incômodo e inquieto se dissolve no amor da verdadeira filosofia.

⋆

Nunca se protele o filosofar quando se é jovem, nem canse o fazê-lo quando se é velho, pois que ninguém é jamais pouco maduro nem demasiado maduro para conquistar a saúde da alma. E quem diz que a hora de filosofar ainda não chegou ou já passou assemelha-se ao que diz que ainda não chegou ou já passou a hora de ser feliz.

⋆

Deves servir à filosofia para que possas alcançar a verdadeira liberdade.

Assim como realmente a medicina em nada beneficia, se não liberta dos males do corpo, assim também sucede com a filosofia, se não liberta das paixões da alma.

Não pode afastar o temor que importa para aquilo a que damos maior importância quem não saiba qual é a natureza do universo e tenha a preocupação das fábulas míticas. Por isso não se podem gozar prazeres puros sem a ciência da natureza.

Antes de tudo, considerando a divindade incorruptível e bem-aventurada, não se lhe deve atribuir nada de incompatível com a imortalidade ou contrário à bem-aventurança.

Realmente não concordam com a bem-aventurança preocupações, cuidados, iras e benevolências.

O ser bem-aventurado e imortal não tem incômodos nem os produz aos outros, nem é possuído de iras ou de benevolências, pois é no fraco que se encontra qualquer coisa de natureza semelhante.

Manual de Sobrevivência Filosófico

👉 **Epicuro relaciona prazer à ausência de dor.** Isso tem a ver com a busca pela ataraxia, a tranquilidade imperturbável que os epicuristas e estoicos tanto almejavam. A dor afeta nosso comportamento. Podemos fazer coisas indesejáveis ou mesmo perder a razão por causa da dor.

ℹ️ *A busca pelo paraíso, Rocío Caballero, 2011, mista sobre tela.*

☙ ✤ ❧

Habitua-te a pensar que a morte nada é para nós, visto que todo o mal e todo o bem se encontram na sensibilidade: e a morte é a privação da sensibilidade.

☙ ✤ ❧

É insensato aquele que diz temer a morte, não porque ela o aflija quando sobrevier, mas porque o aflige o prevê-la: o que não nos perturba quando está presente inutilmente nos perturba também enquanto o esperamos.

☙ ✤ ❧

O limite da magnitude dos prazeres é o afastamento de toda a dor. E onde há prazer, enquanto existe, **não há dor** de corpo ou de espírito, ou de ambos.

☙ ✤ ❧

A dor do corpo não é de duração contínua, mas a dor aguda dura pouco tempo, e aquilo que apenas supera o prazer da carne não permanece nela muitos dias. E as grandes enfermidades têm, para o corpo, mais abundante o prazer do que a dor.

EPICURO • SÊNECA • EPITETO • MARCO AURÉLIO   *Sabedoria Prática*

༺✽༻

O essencial para a nossa felicidade é a nossa condição íntima: e desta somos nós os amos.

Ética
Chamamos ao prazer princípio e fim da vida feliz. Com efeito, sabemos que é o primeiro bem, o bem inato, e que dele derivamos toda a escolha ou recusa e chegamos a ele valorizando todo bem com critério do efeito que nos produz.

༺✽༻

Nem a posse das riquezas, nem a abundância das coisas, nem a obtenção de cargos ou o poder produzem a felicidade e a bem-aventurança; produzem-na a ausência de dores, a moderação nos afetos e a disposição de espírito que se mantenha nos limites impostos pela natureza.

༺✽༻

A ausência de perturbação e de dor é prazer estável; por seu turno, o gozo e a alegria são prazeres de movimento, pela sua vivacidade.

༺✽༻

Quando dizemos, então, que o prazer é fim, não queremos referir-nos aos prazeres dos intemperantes ou aos produzidos pela sensualidade, como creem certos ignorantes, que se encontram em desacordo conosco ou não nos compreendem, mas ao prazer de nos acharmos livres de sofrimentos do corpo e de perturbações da alma.

☙ ✤ ❧

A imediata desaparição de uma grande dor é o que produz insuperável alegria: esta é a essência do bem, se o entendemos direito, e depois nos mantemos firmes e não giramos em vão falando do bem.

E como o prazer é o primeiro e inato bem, é igualmente por este motivo que não escolhemos qualquer prazer; antes, pomos de lado muitos prazeres quando, como resultado deles, sofremos maiores pesares; e igualmente preferimos muitas dores aos prazeres quando, depois de longamente havermos suportado as dores, gozamos de prazeres maiores. Por conseguinte, cada um dos prazeres possui por natureza um bem próprio, mas não deve escolher-se cada um deles; do mesmo modo, cada dor é um mal, mas nem sempre se deve evitá-las. Convém, então, valorizar todas as coisas de acordo com a medida e o critério dos benefícios e dos prejuízos, pois que, segundo as ocasiões, o bem nos produz o mal e, em troca, o mal, o bem.

☙ ✤ ❧

Formula a seguinte interrogação a respeito de cada desejo: que me sucederá se se cumpre o que quer o meu desejo? Que me acontecerá se não se cumpre?

☙ ✠ ❧

Alguns dos desejos são naturais e necessários; outros são naturais e não necessários; outros nem naturais nem necessários, mas nascidos apenas de uma vã opinião.

☙ ✠ ❧

Aqueles desejos que não trazem dor se não são satisfeitos não são necessários; o seu impulso pode ser facilmente posto de parte, quando é difícil obter a sua satisfação ou parecem trazer consigo algum prejuízo.

☙ ✠ ❧

Não se deve supor antinatural que a alma ressoe com os gritos da carne. A voz da carne diz: não se deve sofrer a fome, a sede e o frio. E é difícil para a alma opor-se; antes, é perigoso para ela não escutar a prescrição da natureza, em virtude da sua exigência inata de bastar-se a si própria.

Realmente não sei conceber o bem, se suprimo os prazeres que se apercebem com o gosto, e suprimo os do amor, os do ouvido e os do canto, e ponho também de lado as emoções agradáveis causadas à vista pelas formas belas, ou os outros prazeres que nascem de qualquer outro sentido do homem. Não é também verdade que a alegria espiritual seja a única da ordem dos bens, porque sei também que a inteligência se alegra pelo seguinte: pela esperança de tudo aquilo que nomeei antes e em cujo gozo a natureza pode permanecer isenta de dor.

Quando te angustias com as tuas angústias, te esqueces da natureza: a ti mesmo te impões infinitos desejos e temores.

Tempo

O tempo é relativo: um minuto no trabalho é uma eternidade; e no fim de semana, um segundo

O tempo é um negócio que nos assombra. A gente tem uma ideia linear do tempo: passado, presente e futuro se desenrolando, caminhando momento a momento no compasso do relógio. Só que essa é apenas a forma como a gente percebe o tempo. Einstein provou que o tempo é relativo, que é diferente de um planeta para outro, que tem a ver com a gravidade. A Física até admite que viagens no tempo são possíveis — ao menos em tese. E aquelas pessoas que sonham com um lance que acaba rolando dez, quinze dias depois do sonho? O tempo também manda na sua vida. Suas atividades são cronometradas: a hora de acordar, de comer, de descansar, de trabalhar, de curtir... O tempo da sua vida está correndo, sem parar, até o momento final. Pegando carona numa ideia de Adam Smith, o tempo é nosso guardião — um guardião implacável.

A reflexão filosófica sobre o tempo tem mais a ver com a consciência que temos do tempo, como fazem Agostinho e Bergson, ou como devemos aproveitar nosso tempo, como aconselha Epicuro.

Epicuro

Carta a *Meneceu*

Assim como opta pela comida mais saborosa e não pela mais abundante, do mesmo modo ele colhe os doces frutos de um tempo bem vivido, ainda que breve. Quem aconselha o jovem a viver bem e o velho a morrer bem não passa de um tolo, não só pelo que a vida tem de agradável para ambos, mas também porque se deve ter exatamente o mesmo cuidado em honestamente viver e em honestamente morrer. Mas pior ainda é aquele que diz: bom seria não ter nascido, mas uma vez nascido, transpor o mais depressa possível as portas do Hades. Se ele diz isso com plena convicção, por que não vai desta vida? Pois é livre para fazê-lo, se for esse realmente seu desejo; mas se o disse por brincadeira, foi frívolo em falar de coisas que brincadeira não admitem. Nunca devemos nos esquecer de que o futuro não é nem totalmente nosso, nem totalmente não nosso, para não sermos obrigados a esperá-lo como se estivesse por vir com toda a certeza, nem nos desesperarmos como se não estivesse por vir jamais.

EPICURO • AGOSTINHO • BERGSON   *Tempo*

Agostinho

Trechos de *Confissões*, livro 11
"*O Homem e o Tempo*"

No livro 11 das suas Confissões, *Agostinho, um dos primeiros filósofos a tentar conceituar essa coisa que nos escorre pelos dedos, reflete sobre o tempo.*

[...] ao contrário, nada passa, tudo é presente, ao passo que o tempo nunca é todo presente. Esse tal, verá que o passado é impelido pelo futuro e que todo o futuro está precedido dum passado, e todo o passado e futuro são criados e dimanam d'Aquele que sempre é presente.
(...)
[...] diga-se também que há três tempos: pretérito, presente e futuro, como ordinária e abusivamente se usa. Não me importo nem me oponho nem critico tal uso, contanto que se entenda o que diz e não se julgue que aquilo que é futuro já possui existência, ou que o passado subsiste ainda. Poucas são as coisas que exprimimos com terminologia exata. Falamos muitas vezes sem exatidão, mas entende-se o que pretendemos dizer!
(...)
Se pudéssemos conceber um espaço de tempo que não seja suscetível de ser dividido em minúsculas partes de momentos, só a este poderíamos chamar tempo presente. Esse, porém, passa tão velozmente do futuro ao passado, que não tem nenhuma duração. Se tivesse alguma duração, dividir-se-ia em passado e futuro. Logo, o tempo presente não tem extensão alguma.
(...)

Agora está claro e evidente para mim que o futuro e o passado não existem, e que não é exato falar de três tempos — passado, presente e futuro. Seria talvez justo dizer que os tempos são três, isto é, o presente dos fatos passados, o presente dos fatos presentes, o presente dos fatos futuros. E estes três tempos estão na mente e não os vejo em outro lugar. O presente do passado é a memória. O presente do presente é a visão. O presente do futuro é a espera.

(...)

Mas o presente indivisível não deixa de se dissipar para ceder lugar a um outro, de modo que, em qualquer proporção que a duração dele seja estendida, o tempo se reduz ao impermanente, cujo ser, composto de uma sucessão de instantes indivisíveis, permanece alheio, por definição, à imobilidade estável da eternidade divina.

(...)

Chamamos "longo" ao tempo passado, se é anterior ao presente, por exemplo, cem anos. Do mesmo modo dizemos que o tempo futuro é "longo", se é posterior ao presente, também cem anos. Chamamos "breve" ao passado, se dizemos, por exemplo "há dez dias"; e ao futuro, se dizemos "daqui a dez dias". Mas como pode ser breve ou longo o que não existe? Na verdade, o passado já não existe e o futuro ainda não existe.

(...)

Onde se encontra então o tempo que possa ser chamado de longo? O futuro? Não dizemos certamente que é longo, porque não existe ainda. Dizemos, sim, que será longo. E quando será? Se esse tempo ainda agora está por vir, não será longo, pois ainda não existe nele aquilo que seja capaz de ser longo. Mas só o poderá começar a ser, no instante em que nascer desse futuro — que ainda não existe — e se tornar tempo presente, porque só então será capaz de ser

longo. Mas, pelo que dissemos até aqui, o presente clama que não pode ser longo.

(...)

Quem se atreve a negar que o futuro ainda não existe? Contudo, existe ainda no espírito a lembrança do passado. E quem nega que o presente carece de extensão, uma vez que passa em um instante? No entanto, perdura a atenção, diante da qual continua a retirar-se o que era presente. Portanto, não é o tempo futuro que é longo, pois não existe, mas o longo futuro é a longa espera do futuro. Também não é longo o tempo passado inexistente, mas o longo passado é a longa recordação do passado.

(...)

Com efeito, medimos o tempo, mas não o que ainda não existe, nem o que já não existe, nem o que não tem extensão, nem o que não tem limites. Em outras palavras, não medimos o futuro, nem o passado, nem o presente, nem o tempo que está passando. E no entanto, medimos o tempo.

(...)

É em ti, meu espírito, que eu meço o tempo. Não me perturbes, ou melhor, não te perturbes com o tumulto de tuas impressões. É em ti, repito, que meço os tempos. Meço, enquanto está presente, a impressão que as coisas gravam em ti no momento em que passam, e que permanecem mesmo depois de passadas, e não as coisas que passaram para que a impressão as reproduzisse. É essa impressão que meço, quando meço o tempo. Portanto, ou essa impressão é o tempo, ou não meço o tempo.

(...)

Se estou para recitar uma canção que conheço, antes de começar, já minha expectativa se estende a toda ela. Mas, assim que começo, tudo o que vou destacando e entregando ao passado vai se estendendo ao longo da memória. Assim, a minha atividade volta-se para a lembrança da parte já recitada e para a expectativa da parte ainda a recitar; a minha atenção, porém, está presente: por seu intermédio, o futuro torna-se passado. E quanto mais avança o ato tanto mais se abrevia a espera e se prolonga a lembrança, até que esta fica totalmente consumida, quando o ato, totalmente acabado, passa inteiramente para o domínio da memória.

(...)

Ora, o que acontece com o cântico todo, sucede também para cada uma das partes e de suas sílabas; acontece também a um ato mais longo, do qual faz parte, por exemplo, o cântico, e em toda a vida do homem, da qual todas as ações humanas são partes. Isso mesmo sucede em toda a história dos filhos dos homens, da qual a vida de cada homem é apenas uma parte.

(...)

Quem poderá deter esse pensamento e fixá-lo um instante, a fim de que colha por um momento o esplendor da tua sempre imutável eternidade, e veja como não se pode estabelecer um confronto com o tempo sempre móvel. Compreenderá então que a duração do tempo só será longa porque composta de muitos movimentos passageiros que não podem alongar-se simultaneamente. Na eternidade nada passa, tudo é presente, ao passo que o tempo nunca é todo presente.

(...)

Quem poderá deter o coração do homem, a fim de que pare e veja como a eternidade, não passada nem futura, sempre imóvel, determina o futuro e o passado? Será minha mão capaz de tanto, ou poderá minha boca obter efeito semelhante por meio da palavra?

Bergson

Considerado o mais importante filósofo francês do início do século 20, Bergson teve grande influência em sua época, promovendo uma recuperação da metafísica, desacreditada desde Kant.

Bergson foi professor e deu aulas em vários lugares e foi casado com Louise Neuberger, prima do escritor francês Marcel Proust. Bergson estava entre a nata da intelectualidade francesa. Ele foi também diplomata e participou das discussões sobre a Primeira Guerra Mundial e influenciou a decisão dos Estados Unidos em intervir no conflito.

Eleito membro da Academia Francesa em 1914 e ganhador do Prêmio Nobel de Literatura em 1927, Henri Bergson desenvolveu um pensamento, fortemente espiritualista. Sua filosofia é uma afirmação da liberdade humana diante do ataque científico e filosófico que quer reduzir a dimensão espiritual do homem a leis previsíveis e manipuláveis, semelhantes às leis físicas e biológicas. O pensamento de Bergson se fundamenta na afirmação da possibilidade de o real ser compreendido pelo homem por meio da intuição da duração. O próprio filósofo chegou a dizer que para compreender sua filosofia é preciso partir da intuição da duração. Bergson desenvolveu uma perspectiva dualista, que opõe o espírito à matéria, e formulou um princípio vitalista, o elã vital. Bergson afirma que o elã vital é um impulso original de criação de onde provém a vida.

Analisou também a religião e a moral, considerando-as como originárias, por um lado, da sociedade natural, o que resulta em uma moral da obrigação e em uma religião estática, que é uma defesa contra a natureza hostil e, por outro lado, da sociedade aberta em que a moral é criadora de valores e a religião é dinâmica e criativa.

Trechos de *Ensaios Sobre os Dados Imediatos da Consciência*

Esse livro é fundamental para entender Bergson, porque traz os fundamentos da doutrina da duração e apresenta a visão que o filósofo tinha do intelecto como força aglutinadora do pensamento. Por entender que a intuição é a forma de consciência mais refinada, Bergson a valoriza mais que o intelecto, que, para ele, é incapaz de apreender a realidade em seu sentido mais profundo e de explicar nossa experiência. Bergson aplica essa distinção para estudar o tempo e distingue duas instâncias: o tempo (temps) *e a duração* (durée), *o "tempo real", só pode ser apreendido intuitivamente e não como sucessão temporal.*

O que faz da esperança um prazer tão intenso é que o futuro, que está à nossa disposição, nos surge ao mesmo tempo sob uma imensidão de formas, igualmente risonhas, igualmente possíveis. Ainda que a mais desejada se realize, é preciso sacrificar as outras, e teremos perdido muito. A ideia do futuro, prenhe de uma infinidade de possibilidades, é, assim, mais fecunda do que o próprio futuro, e é por isso que há mais encanto na esperança do que na posse, no sonho do que na realidade.

(...)

É verdade que contamos os momentos sucessivos da duração e que, pelas suas relações com o número, nos surge, em primeiro lugar, como uma grandeza mensurável completamente análoga ao espaço. Mas impõe-se, então, uma importante distinção. Digo, por exemplo, que acaba de transcorrer um minuto, e entendo por isso que um pêndulo,

ao marcar os segundos, executou sessenta oscilações. Se represento as sessenta oscilações só de uma vez e com uma só apercepção do espírito, excluo por hipótese a ideia de uma sucessão: penso, não em sessenta toques que se sucedem, mas em sessenta pontos de uma linha fixa, simbolizando cada um, por assim dizer, uma oscilação do pêndulo. — Se, por outro lado, quero representar as sessenta oscilações sucessivamente, mas sem nada alterar ao seu modo de produção no espaço, deverei pensar em cada oscilação excluindo a lembrança da precedente, porque o espaço não conservou qualquer vestígio: mas, por isso mesmo, condenar-me-ei a ficar continuamente no presente; renunciarei a pensar numa sucessão ou numa duração. Finalmente, se conservar, juntamente com a imagem da oscilação presente, a lembrança da oscilação que a precedia, acontecerá de duas uma: ou justaporei as duas imagens, e recaímos então na primeira hipótese; ou as perceberei uma na outra, penetrando-se e organizando-se entre si como notas de uma melodia, de maneira a formar o que chamaremos uma multiplicidade indiferenciada ou qualitativa, sem qualquer semelhança com o número: obterei assim a imagem da duração pura, mas também terei me afastado por completo da ideia de um meio homogêneo ou de uma quantidade mensurável, interrogando cuidadosamente a consciência, iremos reconhecer que ela procede assim sempre que se abstém de representar a duração simbolicamente. Quando as oscilações regulares do balancim nos convidam ao sono, será o último som ouvido, o último movimento percepcionado que produz tal efeito? É evidente que não, porque não se compreenderia por que é o que o primeiro não produziu o mesmo efeito. Mas esta lembrança, justapondo-se depois a um som ou um movimento único, permanecerá ineficaz.

Logo, é preciso admitir que os sons se compunham entre si e agiam, não pela sua quantidade enquanto quantidade, mas pela qualidade que a sua quantidade apresentava, isto é, pela organização rítmica do seu conjunto. Caso contrário, compreenderíamos o efeito de uma excitação fraca e contínua? Se a sensação permanecesse idêntica a si mesma, permaneceria indefinidamente fraca, indefinidamente suportável. Mas a verdade é que cada acréscimo de excitação se organiza com as excitações e que o conjunto produz em nós o efeito de uma frase musical que estaria sempre prestes a acabar e se modificaria, na sua totalidade, pela dição de alguma nova nota. Se afirmamos que é sempre a mesma sensação, é porque pensamos, não na sensação em si, mas na sua causa objetiva, situada no espaço. Desdobramo-la então no espaço, por seu turno, e em vez de um organismo que se desenvolve, em vez de modificações que se interpenetram, percebemos uma só sensação estendendo-se em comprimento, por assim dizer, e justapondo-se indefinidamente a si própria. A verdadeira duração, que a consciência percebe, deveria se classificar entre as grandezas ditas intensivas, no caso de as intensidades puderem se chamar grandezas; a bem dizer não é uma quantidade, e quando se procura medi-la, substitui-se inconscientemente o espaço.

(...)

Graças à lembrança que a nossa consciência organizou do seu conjunto, conservam-se e, depois, alinham-se: em síntese, criamos para elas uma quarta dimensão do espaço, que chamamos o tempo homogêneo, e que permite ao movimento pendular, se bem que nele produzido, justapor-se indefinidamente a si mesmo. — Se agora tentarmos, neste processo tão complexo, considerar com exatidão o real e o imaginário, eis o que encontramos. Há um espaço real sem

duração, mas onde fenômenos aparecem e desaparecem simultaneamente com os nossos estados de consciência. Há uma duração real, cujos momentos heterogêneos se interpenetram, podendo cada momento aproximar-se de um estado do mundo exterior que é dele contemporâneo e separar outros momentos por efeito dessa aproximação. Da comparação destas duas realidades nasce uma representação simbólica da duração, tirada do espaço. A duração toma assim a forma ilusória de um meio homogêneo, e o traço de união entre os dois termos, espaço e duração, é a simultaneidade, que se poderia definir como a interseção entre o tempo e o espaço.

(...)

Dizer que certo amigo, em dadas circunstâncias, agiria muito provavelmente de uma determinada maneira, não é tanto predizer a conduta futura do nosso amigo como formular um juízo sobre o seu carácter presente, isto é, ao fim e ao cabo, sobre o seu passado. Se os nossos sentimentos, as nossas ideias, o nosso carácter, numa palavra, se modificam continuamente, é raro que se observe uma mudança súbita; é mais raro ainda que se possa dizer de uma pessoa conhecida que certas ações parecem bastante conformes com a sua natureza, e que outras lhe repugnam em absoluto. Todos os filósofos estarão de acordo sobre este ponto, porque ligar o futuro ao presente mais não é do que estabelecer uma relação de conveniência ou de não conveniência entre uma dada conduta e o presente caráter de uma pessoa que se conhece.

CRONOLOGIA DOS FILÓSOFOS

PLATÃO (c. 428 a.C.-347 a.C.)
EPICURO DE SAMOS (c. 341 a.C.-270 a.C.)
TITO LUCRÉCIO CARO (99 a.C - 55 a.C.)
LÚCIO ANEU SÊNECA (c. 4 a.C.-65 d.C.)
EPITETO (c. 55-135)
MARCO AURÉLIO (121-180)
AURÉLIO AGOSTINHO (354-430)
DESIDÉRIO ERASMO (1466-1536)
NICOLAU MAQUIAVEL (1469-1527)
ETIÉNNE DE LA BOÉTIE (1530-1563)
RENÉ DESCARTES (1596-1650)
BLAISE PASCAL (1623-1662)
BENEDITO ESPINOSA (1632-1677)
JOHN LOCKE (1632-1704)
DAVID HUME (1711-1776)
JEAN-JACQUES ROUSSEAU (1712-1778)
IMMANUEL KANT (1724-1804)
FRIEDRICH VON SCHILLER (1759-1805)
GEORG FRIEDRICH HEGEL (1770-1831)
ARTHUR SCHOPENHAUER (1788-1860)
ALEXIS DE TOCQUEVILLE (1805-1859)
JOHN STUART MILL (1806-1873)
SØREN KIERKEGAARD (1813-1855)
FRIEDRICH NIETZSCHE (1844-1900)
ÉMILE DURKHEIM (1858-1917)
HENRI BERGSON (1859-1941)
JEAN-PAUL SARTRE (1905-1980)

E-REFERÊNCIAS

BERGSON, Henri. *Time and Free Will: An Essay on the Immediate Data of Consciousness*. Disponível em: <*https://www.gutenberg.org/files/56852/56852-h/56852-h.htm*>. Acesso em: 30.09.2019.

COSTA, Ricardo da. As Estéticas Clássicas e Medieval. Disponível em <*http://www.ricardocosta.com/artigo/esteticas-classica-e-medieval*>. Acesso em: 03.09.2019.

E-REFERÊNCIAS • REFERÊNCIAS BIBLIOGRÁFICAS

EPITETO. *The Enchiridion*. Disponível em: <*https://www.gutenberg.org/files/45109/45109-h/45109-h.htm*>. Acesso em: 05.03.2019.

ESPINOSA, Baruch. *Ethics*. Disponível em: <*http://www.gutenberg.org/cache/epub/919/pg919-images.html*> Acesso em: 10.03.2019.

_____. *A Theological-Political Treatise*. Disponível em: <*https://www.gutenberg.org/files/992/992-h/992-h.htm*>. Acesso em: 06.05.2019.

DURKHEIM, Émile. *The Elementary Forms of the Religious Life*. Disponível em: <*https://www.gutenberg.org/files/41360/41360-h/41360-h.htm*>. Acesso em: 10.04.2019.

HEGEL, Georg. *The Introduction to Hegel's Philosophy of Fine Arts*. Disponível em: <*https://www.gutenberg.org/files/46330/46330-h/46330-h.htm*>. Acesso em: 25.05.2019.

HUME, David. *An Enquiry Concerning the Principles of Morals*. Disponível em: <*https://www.gutenberg.org/files/4320/4320-h/4320-h.htm*>. Acesso em: 09.03.2019.

KANT, Immannuel. Resposta à pergunta: "o que é o Iluminismo?". Tradução de Arthur Mourão. Disponível em: <*http://www.lusosofia.net/textos/kant_o_iluminismo_1784.pdf*>. Acesso em: 28.08.2019.

_____. *Kant's Critique of Judgement*. Disponível em: <*https://www.gutenberg.org/files/48433/48433-h/48433-h.htm*>. Acesso em: 12.06.2019.

LA BOETIE, Étienne de. *The Discourse of Voluntary Servitude*. Disponível em: <*https://oll.libertyfund.org/titles/boetie-the-discourse-of-voluntaryservitude*>. Acesso em: 13.07.2019.

LOCKE, John. *Second Treatise of Government*. Disponível em: <*https://www.gutenberg.org/files/7370/7370-h/7370-h.htm*>. Acesso em: 16.06.2019.

LUCRÉCIO, Tito. *On the Nature of Things*. Disponível em: <*https://www.gutenberg.org/files/785/785-h/785-h.htm*>. Acesso em: 23.08.2019.

MILL, John Stuart. *Utilitarism*. Disponível em: <*https://www.gutenberg.org/files/11224/11224-h/11224-h.htm*>. Acesso em: 25.04.2019.

NIETZSCHE, Friedrich. *The Antichrist*. Disponível em: https://www.gutenberg.org/files/19322/19322-h/19322-h.htm. Acesso em: 25.04.2019.

PLATÃO. *The Republic*. Disponível em: <*https://www.gutenberg.org/files/55201/55201-h/55201-h.htm*>. Acesso em: 17.08.2019.

_____. *Symposium*. Disponível em: <*https://www.gutenberg.org/files/1600/1600-h/1600-h.htm*>. Acesso em: 07.04.2019.

SCHILLER, *Aesthetical Essays*. Disponível em: <https://www.gutenberg.org/files/6798/6798-h/6798-h.htm>. Acesso em: 08.08.2019.

ROUSSEAU, Jean-Jacques. *Émile*. Disponível em: <https://www.gutenberg.org/files/5427/5427-h/5427-h.htm>. Acesso em: 16.04.2019.

_____. *The Social Contract & Discourses by Jean-Jacques Rousseau*. Disponível em: <https://www.gutenberg.org/files/46333/46333-h/46333-h.htm#A_DISCOURSE_b>. Acesso em: 05.04.2019.

TOCQUEVILLE, Alexis de. *L'ancien régime et la révolution*. Disponível em: <https://www.gutenberg.org/files/54339/54339-h/54339-h.htm>. Acesso em: 05.03.2019.

REFERÊNCIAS BIBLIOGRÁFICAS

AGOSTINHO, Aurélio. *Confissões*. Trad. de J. Oliveira Santos e Ambrósio de Pina. Petrópolis : Vozes, 2000.

ARISTÓTELES. *Física*. Campinas : Editora Unicamp, 2009.

_____. *Metafísica*. São Paulo : Editora Abril, 1973.

ATKINSON, Sam. *O livro da Filosofia*. São Paulo : Globo Livros, s/d.

AURÉLIO, Marco. *Meditações*. Trad. Jaime Bruna. São Paulo : Cultrix, s/d.

BLANC, Claudio. *A História da Filosofia*. São Paulo : IBC, 2016.

_____. *O Melhor de Maquiavel*. Bauru : Ideia, 2011.

BREVERTON, Terry. *Immortal Words*. Londres : Quercus, s/d.

CAMUS, Sébastien et al. *100 obras-chave de filosofia*. Tradução de Lúcia Mathilde Endlich Orth. Petrópolis, RJ : Vozes, 2014.

CHAUÍ, Marilena. *Primeira Filosofia: lições introdutórias*. São Paulo: Brasiliense, 1984.

EPICURO. *Carta Sobre a Felicidade (a Meneceu)*. Trad. Álvaro Lorencini e Enzo del Carratore. São Paulo : Editora UNESP, 2002.

ERASMO, Desidério. *Elogio da Loucura*. Trad. de Paulo M. Oliveira. São Paulo : Atena Editora, 1955.

HOBBES, Thomas. *Natureza humana*. Lisboa: Imprensa Nacional da Moeda, 1983.

JAPIASSÚ, Hilton e MARCONDES, Danilo. *Dicionário básico de filosofia*. Rio de Janeiro, RJ: Jorge Zahar Editor, 2001.

KANT, Immanuel. *Fundamentação da metafísica dos costumes*. Trad. Paulo Quintela. Lisboa: Edições 70, 1960.

_____. *Crítica da razão prática*. Trad. Artur Morão. Lisboa : Edições 70, 1994.

E-REFERÊNCIAS • REFERÊNCIAS BIBLIOGRÁFICAS

_____. *Crítica da faculdade de julgar*. Trad. António Marques e Valério Rohden. Lisboa: Fundação Calouste Gulbenkian, 1988.

KIERKGAARD, Søren. *Parables of Kierkegaard*. s/l : Princeton University Press, 1989.

_____. *O Conceito de Angústia*. Trad. de Álvaro Luiz Montenegro Valls. Petrópolis : Vozes, 2015.

MACHADO, R. *O nascimento do trágico*. Rio de Janeiro: Jorge Zahar, 2006.

NIETZSCHE, Friedrich. *O Nascimento da Tragédia ou Helenismo e Pessimismo*. São Paulo, SP : Companhia das Letras, 2007.

_____. *Unfashionable Observations*. Tradução do alemão, Richard T. Grey. Stanford, 1995.

_____. *A filosofia na idade trágica dos gregos*. Tradução: Maria Inês Inês Madeira de Andrade. Lisboa : Edições 70, 1987.

PASCAL, Blaise. *Pensamentos*. s/t. São Paulo : Nova Cultural, 1999.

PLATÃO. *Diálogos (Protágoras – Górgias – Fedão)*. Trad. Carlos Alberto Nunes. Belém, PA : Editora da UFPA, 2002.

REALE, G.; ANTISERI, D. *História da filosofia: do humanismo a Kant*. São Paulo: Paulus, 1990.

ROSIM, Alexis Daniel; CRESPO, Luis Fernando; KRASTANOV, Stefan Vasilev. *História da filosofia contemporânea, volume II*. Batatais, SP : Claretiano, 2013.

ROVIGHI, Sofia V. *História da filosofia moderna*. São Paulo : Loyola, 1999.

RUSSELL, Bertrand. *História da filosofia ocidental – Livros 1, 2 e 3*. Tradução de Hugo Langone. Rio de Janeiro : Nova Fronteira, 2015.

SÊNECA, Lúcio Aneu. *Obras*. Trad. de G.D. Leoni. São Paulo : Atena Editora, 1955.

SCHILLER, Friedrich. *Do Sublime ao Trágico*. Trad. Pedro Süssekind e Vladimir Vieira. Belo Horizonte : Autêntica Editora, 2011.

SCHOPENHAUER, Arthur. *O mundo como vontade e como representação*. Tradução Jair Barboza. São Paulo: Unesp, 2005.

_____. *Parerga e paralipomena. Os pensadores: Schopenhauer e Kierkgaard*. s/t. São Paulo: Abril Cultural, 1974.

VOLTAIRE. *Dicionário Filosófico*. São Paulo, SP : Livros Escala, s/d.

INFORMAÇÕES SOBRE A
GERAÇÃO EDITORIAL

Para saber mais sobre os títulos e autores
da **GERAÇÃO EDITORIAL**,
visite o *site* www.geracaoeditorial.com.br
e curta as nossas redes sociais.

Além de informações sobre os próximos lançamentos,
você terá acesso a conteúdos exclusivos
e poderá participar de promoções e sorteios.

🏠 geracaoeditorial.com.br

f /geracaoeditorial

🐦 @geracaobooks

📷 @geracaoeditorial

Se quiser receber informações por *e-mail*,
basta se cadastrar diretamente no nosso *site*
ou enviar uma mensagem para
imprensa@geracaoeditorial.com.br

GERAÇÃO EDITORIAL
Rua João Pereira, 81 – Lapa
CEP: 05074-070 – São Paulo – SP
Telefone: (+ 55 11) 3256-4444
E-mail: geracaoeditorial@geracaoeditorial.com.br